DIE WELT DER RELIGIONEN

in 18 Bänden

1 Santiago de Compostela · Die Wege der Pilger
2 Mekka und Medina · Die Städte des Propheten
3 Ganges · Der heilige Strom Indiens
4 Sri Lanka · Die heilige Insel des Buddhismus
5 Jerusalem · Die heilige Stadt dreier Religionen
6 Ise und Izumo · Die Schreine des Schintoismus
7 Delphi · Das Heiligtum der Griechen
8 Der goldene Ring · Das Christentum Rußlands
9 Kairo · Die Schule des Islam
10 Sevilla · Die heilige Woche
11 Rom · Die Stadt der Päpste
12 Himalaya · Die Klöster des Lama
13 Berg Athos · Die Klöster der Stille
14 Mexiko · Die Sonnenpyramiden
15 Assisi · Die mystische Welt des hl. Franziskus
16 Adschanta · Die geheiligten Höhlen Buddhas
17 China · Treffpunkt dreier Religionen
18 Theben · Das Heiligtum Amuns

China

Treffpunkt dreier Religionen

Text von Renata Pisu

Photographien von Shih Chia-Fu

Herder Freiburg · Basel · Wien

Inhalt

9 Die Bedeutung des Heiligen im alten China

17 Pilgerfahrt zum Taishan

45 Der heilige Berg Chinas

103 Die drei Religionen

133 Chronologie

134 Glossar

136 Namen- und Sachverzeichnis

138 Bibliographie

Seiten 2–3: Blick auf die in Wolken gehüllten Spitzen des Berges Tai. Der Tai ist 1540 m hoch und damit die höchste Erhebung des in der Mitte der Provinz Shantung gelegenen Bergmassivs. Seit undenklichen Zeiten wurde er als der Erste der Fünf Heiligen Berge Chinas verehrt.

Seite 6: Ein Freskogemälde aus dem 12. Jahrhundert, auf dem die Reise des Kaiserlichen Gefolges von der Hauptstadt zum Berg Tai dargestellt ist. Es befindet sich im Hauptsaal des Tempels vom Himmlischen Geschenk, der am Fuße des heiligen Berges liegt. In der Bildmitte sitzt der Kaiser auf dem in den Wagen gestellten Thron.

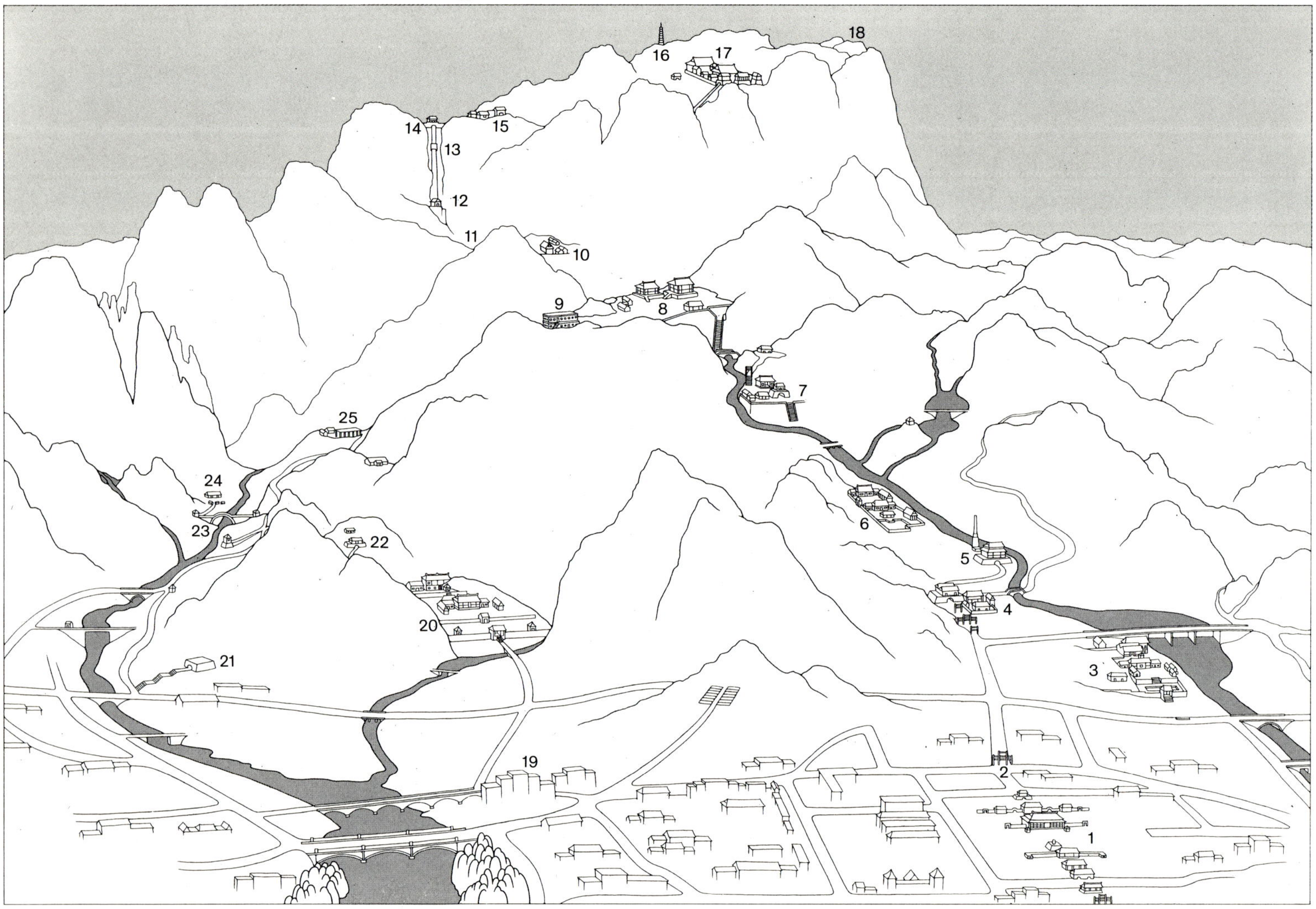

Taishan, der heilige Berg (1540 m) Chinas, mit seinen über dreihundert Tempeln und Pavillons erhebt sich über dem Städtchen Tai-an: 1. Tempel des Berges Tai (zu den schönsten Kultgebäuden dieser großen Anlage gehört: der Tempel Dessen, der mit dem Himmel vereinigt ist und der Tempel des Himmlischen Geschenkes); 2. Bogen des Vorfahren Tai; 3. Teich der Königin-Mutter des Westens; 4. Palast der roten Tore; 5. Denkmal der Gefallenen der Revolution; 6. Tempel der Göttin des Großen Bären; 7. Pavillon des Ehrwürdigen Himmlischen des (ersten) Ursprungs; 8. Gebäudekomplex der mittleren Himmelspforte; 9. Heiligtum der mittleren Himmelspforte; 10. Pavillon der Fünf Pinien-Großoffiziere; 11. Nach Süden sich öffnende Höhle; 12. Pavillion des Gipfels der Pinien; 13. Tor, durch das die Unsterblichkeit erreicht wird; 14. Himmlisches Tor des Südens; 15. Heiligtum der Drei Reinen; 16. Tempel des Erhabenen der Jade und Himmlische Säule des Berges Tai oder Säule des Himmels; 17. Tempel der Prinzessin der bunten Wolken, Hauptheiligtum des Berges Tai; 18. Gipfel der Kontemplation der Sonne; 19. Gästehaus Taishan; 20. Tempel der Universalen Erleuchtung; 21. Grab des „christlichen Generals“ Feng Yu-Hsiang (1952); 22. Kloster der Drei taoistischen Geister; 23. Brücke mit dem langen Bogen; 24. Tempel des Unendlichen; 25. Gästehaus.

Die Bedeutung des Heiligen im alten China

Die chinesische Kultur war seit jeher in ihrer Gesamtheit mehr dem Praktischen als dem Mystischen zugeneigt, mehr daran interessiert, die Phänomene untereinander in Verbindung zu setzen, als ihren Ursachen auf den Grund zu gehen. Die Religion führte in China nie eine vom sozialen Wirken unterschiedene Existenz; sie verfügte nie über einen eigenen ausschließlichen Bereich, in dem das Geistige vom Materiellen, d.h. von den Dingen dieser Welt, unterschieden wurde. Materie und Geist, die beiden großen dialektischen Gegensätze des westlichen philosophischen und religiösen Denkens, wurden von der chinesischen Geisteswelt nie als zwei extreme, unversöhnliche Pole aufgefaßt, und nie wurde dem Menschen eine Seele zugeschrieben, die sich wie Wesen vom Körper unterschied. Das bedeutet aber nicht, daß die chinesische Auffassung vom Leben nicht seit den ersten Anfängen durchdrungen war vom Sinn für das Heilige; dieser spielt sogar eine bedeutende, zum Teil determinierende Rolle, ohne daß jedoch Götter, d.h. Wesen anderer Natur als der des Menschen, Gegenstand der Verehrung sind: es werden vielmehr Helden verehrt, die sich zu Wohltätern der Menschheit machten und denen deshalb kultische Verehrung zuteil wurde. Der Kult erhebt sie in einen höheren Rang, verleiht ihnen „Heiligkeit"; sie werden von den Lebenden je nach deren Bräuchen verehrt und somit vergöttlicht, woraus sich eine Art Tauschgeschäft entwickelt: das Recht auf Verehrung und damit auf Unsterblichkeit gegen praktische Wohltaten, Begünstigungen und Hilfe. Im äußersten Fall können alle nach ihrem Tod Gegenstand der Ahnenverehrung werden: wenn Kinder, Enkel und Nachfahren bis zur fünften Generation und auch weiter, durch ihre Opfer das fortdauernde Andenken garantieren.

Die Chinesen waren somit seit jeher ein religiöses Volk, auch wenn dies der zeitgenössische Philosoph Feng Yu-lan leugnet. Er behauptet, in China habe die Philosophie die gleiche Rolle gespielt wie im Westen die Religion. Trotzdem muß der Begriff Religion in bezug auf die chinesische Kultur näher erläutert werden: er steht hier für eine Lebensauffassung, die das Heilige mit einbezieht, nicht aber für die Theologie einer schöpferischen und transzendenten Gottheit. Ursprünglich erstreckte sich die chinesische Religiosität auf den Kosmos in seiner Gesamtheit, der als ein System von Verhaltensweisen betrachtet wurde; hier unterschied sich das Verhalten des Geistes, d.h. das, was wir als „übernatürliche" Phänomene bezeichnen, nicht vom Verhalten der Materie, den „natürlichen" Phänomenen. In frühgeschichtlicher Zeit kam die Religiosität vor allem in zwei Formen des Kultes zum Ausdruck: dem der Vorfahren und dem der Erdgötter, eine Permutation der beiden grundlegenden Elemente der Gesellschaft: der Familie, vertreten durch die Vorfahren, und der Stadtherrschaft, tragendes Element der sozialen Organisation. Jedes Haus hatte seinen Erdgott, dem die Götter der verschiedenen Bereiche des Hauses, wie der Gott der Küche, der Gott der Tür, der Gott der Regenrinne, untergeordnet waren, und verehrte die Vorfahren der Familie. Jede Stadtherrschaft hatte ihren eigenen Erdgott, dem der Gott der Ernten und die Götter der Berge, der Flüsse und der Seen beistanden, die auf dem Territorium der Stadtherrschaft lagen; hinzu kamen die Vorfahren der Fürstenfamilie. Das Reich hatte den Großen Gott des königlichen Bodens, dem die Götter der Ernten, der Fünf Berge, der Vier Meere zur Seite standen, und verehrte außerdem die königlichen Vorfahren.

Alle diese Götter bildeten die gleiche hierarchische Ordnung wie die der Familienväter, Lehnsherren und Könige, so daß die Struktur des heiligen Bereiches der sozialen Struktur entsprach. Ebenso wie die Sterblichen, waren auch ihre Götter nicht von Dauer, da ihr Schicksal an das der Familie oder der Stadtherrschaft gebunden war. Wenn die Familie ausstarb oder ins Unglück stürzte, hörte damit auch ihr Gott auf zu existieren; das gleiche galt für die Stadtherrschaften. Nur dem Großen Gott des königlichen Bodens, genannt „Herrscher Erde", war es gelungen, sich als fortdauernder Gott des Bodens durchzusetzen. Darüber berichtet eine der ältesten Legenden: Als auf der Erde noch wenige Menschen lebten, herrschte uneingeschränkt Kung-kung, ein Ungeheuer mit dem Körper einer Schlange und dem Gesicht eines Menschen mit zwei riesigen Hörnern auf der Stirn. Der „Herrscher der Höhen – Shang Ti", der die Erde zivilisieren wollte, befahl dem Herrn des Feuers, das Ungeheuer in die nordwestlichen Gebiete zu verjagen. Um sich zu rächen, rannte das Ungeheuer mit seinen Hörnern gegen den Berg Puchou, den tragenden Pfeiler des Himmelsgewölbes, damit der Himmel auf die Erde herabstürzen und sie zerstören sollte. Es wurde getötet, bevor es ihm gelang, die Naturkatastrophe heraufzubeschwören. Sein Sohn Ku-lung, Erbe seiner Herrschaft, unterwarf sich dem Willen des Herrschers der Höhen und ließ zu, daß die Erde von den Menschen bebaut wurde. Er wurde damit der Erdgott des Reiches, der Herrscher Erde. Als die Hsia-Dynastie abgesetzt wurde, versuchten die Sieger deren heilige Tafel umzuwerfen, um sie durch die des Erdgottes ihrer Stadtherrschaft zu ersetzen. Es gelang ihnen nicht, sosehr sie sich auch bemühten, und sie waren gezwungen, ihn als Erdgott aller Dynastien des Reiches anzuerkennen. Eine weitere dauerhafte Gottheit wahrscheinlich späteren Ursprungs, der der Kaiser Opfer darbrachte, war der Herrscher der Meilen oder Gott der Ernten. Im *Buch der Oden,* einem klassischen Buch der konfuzianischen Schule, wird die Geschichte seiner Geburt erzählt: Er wurde in die Erde gelegt, wie ein Samen zugedeckt und als solcher wuchs er sehr schnell; er war sofort fähig, alle Getreidearten anzubauen und die Menschheit in der Herstellung von Mehl und Nahrungsmitteln zu unterweisen, die den Vorfahren als Opfergaben darzubringen waren.

Im archaischen China gibt es nur wenige Gottheiten mit eigener Ursprungslegende, die sich von der großen Masse der Götter abheben. Es läßt sich jedoch der Gott des Gelben Flusses individualisieren, Gebieter über den Wohlstand in China; er wird von der Bevölkerung, die vom Ackerbau lebt, mit großer Ehrfurcht behandelt, denn das Hochwasser des großen Flusses brachte die Ernte und die eigene Existenz in Gefahr. Dieser grausame und ungnädige Gott des Gelben Flusses fuhr nach der Legende in einem von Schildkröten gezogenen Wagen den Fluß auf und ab und forderte Menschenopfer, die ihm zweimal jährlich dargebracht wurden: ein mit prächtigen Brautgewändern bekleidetes Mädchen wurde auf ein Holzbett gelegt und dem Fluß übergeben. Wenn das Wasser das Opfer verschlungen hatte, wurde der Hochzeitsritus als vollzogen betrachtet, man glaubte die Gottheit besänftigt.

Andere Gottheiten der Flüsse oder der Berge wurden nur örtlich verehrt, und dem Herrn des Windes und dem Herrn des Regens wurden nur sehr unbestimmte Eigenschaften zugeschrieben. Die Mutter der Sonne und die Mutter des Mondes hingegen sind Gestalten alter Volkslegenden.

Aus diesem Pantheon des archaischen China, das keiner festen Ordnung unterlag, ragt der „Oberste Herrscher" oder „Herrscher der Höhe – Shang Ti", heraus. Anfangs handelte es sich um eine anthropomorphe Gottheit, die später von der gebildeten Bevölkerungsschicht mit dem Kult des Himmels, Tien, in Verbindung gebracht wurde und der nie die Attribute eines Schöpfergottes zugeschrieben wurden. Sehr wahrscheinlich war Shan Ti ursprünglich der berühmteste Vorfahre der halblegendären Königsdynastie Shang, dem die Nachfahren, die Shang-Könige, ihre Opfer darbrachten.

In den Begriffen „Himmel" und „Herrscher der Höhe" oder „Oberster Herrscher" sind einige Merkmale enthalten, die im weitesten Sinne auf einen monotheistischen Glauben schließen lassen könnten. In Wirklichkeit ist aber der Himmel oder Shang Ti vor allem derjenige, der die Jahreszeiten regelt; er wird angerufen, wenn man um eine gute Ernte, um reichen Regen bittet. Er ist auch der oberste Erhalter der natürlichen Ordnung, der göttliche Beschützer des Kalenders. Ihm kann nur der den Kultdienst erweisen, der mit der gleichen Autorität ausgestattet ist, d.h. der Herrscher, dem die chinesischen Bundesstaaten die Verantwortung für den Kalender übertragen hatten. Dem Herrscher, der sich als Sohn des Himmels bezeichnet, kommt die Aufgabe zu, die menschliche Ordnung mit der natürlichen Ordnung in Einklang zu bringen – eine Aufgabe, die ihm nur dann gelingt, wenn er von vollkommener Tugendhaftigkeit ist. Andernfalls treten Naturkatastrophen auf, die Jahreszeiten eilen voraus oder zurück, Sonne und Mond verfinstern sich, die Erde bebt, wie im alten *Buch der Oden* zu lesen ist: „Einer nach dem anderen bersten nun die Blitze und die Donner, / die Wasser der angeschwollenen Flüsse treten über die Ufer, / von den Höhen der Berge stürzen Felsblöcke zu Tal, / die Höhen werden zu Gräben, / die Gräben werden zu Bergen ..."

Diese Zeichen des erzürnten Himmels beweisen, daß der wenig tugendhafte Herrscher sein himmlisches „Mandat" verloren hat. Ein neuer bedeutender Mann übernimmt nun die Macht und die Funktion des Vermittlers; der Himmel verleiht ihm die Macht zu herrschen und nimmt ihn als Sohn an. Der neue Herrscher assoziiert mit dieser höheren Gewalt, der er Opfer darbringt, den hervorragendsten seiner Vorfahren. Der Himmel wird damit der Schutzpatron der Herrscherfamilie, und er ist mit den wesentlichen Attributen eines höchsten Gottes ausgestattet, der alles sieht und alles weiß, dem nur der Herrscher die Ehre des Kultes erweisen darf. So ist der Kult des Himmels oder des Herrschers der Höhe ein dynastischer Kult, der sich ableitet vom Kult der Vorfahren und die ländlichen Kulte älteren Ursprungs überlagert. Wenn in diesem Kult auch eine Spur Monotheismus zu entdecken ist, wird der Begriff des Himmels oder des Herrschers der Höhe dadurch, daß er zu einer höheren Ordnung in Beziehung gebracht wird, doch eher Gegenstand philosophischer Spekulation als Prinzip des Glaubens und des religiösen Lebens. Tatsächlich diskutierten die Philosophen, meist Ratgeber der Herrscher, seit dem 5. Jahrhundert v. Chr. über die menschliche und die göttliche Natur. Dabei waren sie wie auch Konfuzius in erster Linie darum bemüht, nicht transzendente Gebote auszuarbeiten, sondern Normen, die ein geordnetes ziviles Zusammenleben garantieren sollten.

Der Herrscher der Höhe oder der Himmel wurde nie als „erster unbewegter Beweger" oder als höchster Schöpfer betrachtet. China hat nie die Frage nach den Anfängen der Schöpfung gestellt. Die überlieferten Mythen erzählen nie von den Anfängen, d.h. von der Erschaffung des Menschen und aller Dinge, sondern sind, wenn auch phantastische, Berichte vom Übergang vom unorganischen und wilden zum geordneten und zivilisierten Zustand: die Bedeutung der Erfindungen oder Entdeckungen, z.B. der des Feuers, ist vorherrschendes Thema in der chinesischen Mythologie.

Es liegt in der Absicht der offiziellen Geschichtsschreiber der Dynastien, Mythos und Geschichte Chinas ineinanderfließen zu lassen. Nach dem Beispiel des *Buches der Geschichte,* das Konfuzius zugeschrieben wird, haben sie der Geschichte der Königsdynastien die der Fünf Herrscher und der Drei Erhabenen vorausgehen lassen. Diese legendären Figuren des archaischen China bewahren zahlreiche mythische Eigenschaften, obwohl sich die Verfasser bemühten, sie menschlich und glaubhaft erscheinen zu lassen. Dies beweist, daß die Gelehrten auf mündliche Überlieferungen zurückgegriffen haben, sie „politisch" so darstellten, daß sie in die Zeit und in die Geschichte hineinpaßten.

Aus diesem Grund sind die Hauptfiguren der Legenden über die Anfänge stets Weise, die dem Menschengeschlecht durch ihre Werke oder Erfindungen Wohltaten erwiesen haben. In der ursprünglichen Version des Mythos sind diese Weisen mit nur wenigen menschlichen Elementen ausgestattet; die Gelehrten bemühten sich daher seit dem 6. Jahrhundert v.Chr. darum, dies zu vertuschen oder als Metapher aufzufassen. So legen die Historiker die Tatsache, daß Shen Nung, der letzte der Drei Erhabenen und Erfinder der Landwirtschaft, einen Rinderkopf hatte, als Metapher aus und verschweigen, daß die beiden anderen Erhabenen, Fu Hsi und Nu Kua, ein aus einem männlichen und einem weiblichen Wesen bestehendes Paar bildeten, das durch ihre verschlungenen Schwänze miteinander verbunden war. Fu Hsi und Nu Kua hatten gemeinsam den Eheritus erfunden, d.h. die „guten Sitten". In der traditionellen Ikonographie sind sie als „ursprüngliches Paar", nicht als Schöpferpaar, sondern als Ordner des Chaos dargestellt. Fu Hsi, der Ehemann, oder Bruder von Nu Kua hält in der linken Hand den Winkel, das Symbol für alle Künste, und Nu Kua hält in der linken Hand den Kompaß. So ist in China in bezug auf die guten Sitten noch heute der Ausdruck „Winkel und Kompaß" geläufig. Eine andere Version des Mythos besagt, daß Fu Hsi und Nu Kua nicht gemeinsam regierten. Nu Kua brachte als erste Ordnung in die Welt. Im *Huai Nan Tzu,* einer taoistisch inspirierten Schriftensammlung aus dem 2. Jahrhundert n.Chr., ist zu lesen, wie Nu Kua Ordnung ins Universum bringt: „... die vier Pole (d.h. die vier Säulen oder Himmelspfeiler) waren zusammengestürzt, die neun Provinzen auseinandergefallen, der Himmel bedeckte nicht mehr alle Orte, das Feuer verbrannte alles, ohne je zu erlöschen, die Gewässer überschwemmten alles, ohne je zurückzugehen, die Raubtiere verschlangen die starken Menschen, die Raubvögel ernährten sich von den schwachen Menschen. Da verschmolz Nu Kua die fünffarbigen Steine, um damit das Himmelszelt zu reparieren, schnitt der Schildkröte die Beine ab, um die vier Pole geradezurichten, tötete den schwarzen Drachen, um Frieden im Reich zu schaffen, erbaute Dämme aus Rohrasche, um den Gewässern Einhalt zu gebieten. So wurde der Himmel repariert, die vier Pole geradegerichtet, die ausufernden Gewässer kanalisiert, in das Land kehrte der Friede zurück, die Raubtiere starben und die Menschen überlebten. Nu Kua nahm nun die viereckige Erde auf den Rücken und hielt den runden Himmel in den Armen; so wurde die Vereinigung zwischen *Yin* und *Yang* hergestellt." Dank der Vereinigung von *Yin* und *Yang,* den grundlegenden Kategorien der chinesischen Gedankenwelt, kam Ordnung und Frieden in das Universum. *Yin* kann als das weibliche, kalte und passive Prinzip bezeichnet werden und *Yang* als das männliche, warme und aktive Prinzip; nach dem Gesetz des rhythmischen Wechsels bilden diese Prinzipien keinen Gegensatz, sondern ergänzen sich. Nu Kua steht als Vermittlerin zwischen der Erde *Yin* und dem Himmel *Yang* und hält sie zusammen. In dieser Version der Legende ist Nu Kua ungeschlechtlich, d.h. weder *yin* – weiblich noch *yang* – männlich. In der Version, in der sie als Schwester-Ehegattin des Fu Hsi auftritt, ist Nu Kua Frau, und durch ihre Hochzeit wird die Vereinigung von *Yin* und *Yang,* d.h. die Harmonie und die Ordnung, erreicht.

Die Helden, von deren Taten in anderen Mythen berichtet wird, haben stets die Aufgabe, Ordnung zu schaffen, und oft erlangen sie große Verdienste, weil es ihnen gelingt, wahnsinnig gewordene Gottheiten zur Vernunft zu bringen. Yi, der Bogenschütze, hat z.B. alles das aus der Welt geschafft, was den Menschen schaden konnte: es gab neun Sonnen und alle versengten mit ihren Strahlen gemeinsam die Erde. Der Held traf mit seinen Pfeilen acht Sonnen, und es blieb nur eine zurück, die der Erde Licht spendete.

Welche Vorstellung haben die Chinesen der Frühgeschichte aber von der Welt? Anhand weniger Legendenfragmente ist es möglich zu rekonstruieren, wie sie sich die Entstehung der

Welt vorstellten. Das Universum wird oft mit einem Wagen verglichen. Dieser ist mit Seitenwänden und einem runden Baldachin versehen, der den Himmel darstellt. Die Erde ist der quadratische Kasten des Wagens, auf dem der Vermittler zwischen Himmel und Erde, der Herrscher, sitzt. Der Baldachin ist mit dem Kasten des Wagens durch vier Säulen verbunden. Der Aufbau der Erde ähnelt dem des Wagens mit dem Baldachin: das runde Himmelszelt wird gestützt durch die vier Pole oder vier Berge, die Himmelspfeiler; die Erde ist ein Quadrat. Dort, wo der himmlische Baldachin die Erde bedeckt, liegt die zivilisierte Welt; an den vier Ecken hingegen, die vom Baldachin nicht geschützt sind, leben monströse Wesen. In der nordöstlichen Ecke befindet sich ein Land mit Bestien, die keinen Schlaf kennen und die sich ständig auf einer von Sonne und Mond ausgedörrten Erde hin- und herwerfen. Im Südosten liegt ein riesiger Abgrund, in den alle Flüsse der Erde sowie die Milchstraße, der Fluß des Himmels, einmünden. Hier wohnen die Mutter der Sonne und die Mutter des Mondes, die jeden Tag aus diesen Flüssen Wasser holen, um ihre Kinder damit zu waschen, bevor sie ihren täglichen Gang am Himmel vollziehen. Im Südwesten befindet sich ein grauenvolles Gebiet, in dem *Yin* und *Yang* nie ihre Wesen vereinen und wo nie Kälte und Wärme, Nacht und Tag abwechseln und sich weder Sonne noch Mond zeigen. Hier leben elende Menschen, die immer schlafen und nur alle fünf Jahre einmal erwachen. Die nordwestliche Ecke ist das Reich der neun Dunkelheiten, das durch den schrecklichen feuerroten Fackeldrachen erleuchtet wird. Wenn er die Augen öffnet, wird Tag, wenn er sie schließt, wird Nacht; wenn er bläst, ist Winter, wenn er einatmet, ist Sommer. Hier ist auch der Abgrund, in den der Donner hinabstürzt, und das furchtbare Land des Fließsandes, in dem riesige Ameisen und Wespen leben. Im Nordwesten liegt auch das Massiv des K'un Lun, ein Berg, aber gleichzeitig auch eine prachtvolle neunstöckige Königsburg mit hängenden Gärten, von deren Bäumen statt Früchten und Blättern Perlen und Jadesteine herabhängen. Wem es gelingt, den K'un Lun zu erklimmen, der wird unsterblich, denn hier hat der Herrscher der Höhe seinen Wohnsitz. Ebenfalls hier wohnt die Königin-Mutter des Westens, ein heulendes Ungeheuer mit einem Leopardenschwanz, das die Pest bringt, jedoch auch über das Kraut des langen Lebens verfügt, das die Helden erhielten, die sich ihm furchtlos nähern.

Das Chaos herrscht folglich dort, wo der himmlische Baldachin keinen Schutz bietet. Die Erde hingegen gehört den Menschen, denen es dank ihrer weisen Führer gelungen ist, Ordnung zu schaffen. Yao, Shun und Yu der Große, die ersten Herrscher, die die geschichtliche Überlieferung dem Mythos entrissen hat, sind alle mit den Eigenschaften der „Bringer der Zivilisation" ausgestattet. Yao errichtete das Reich der Kindesliebe und der Tugenden des Gemeinsinns. Er dankte zugunsten des Kaisers Shun ab, der über die Gabe der Wirkungskraft verfügte. Ssu-ma Ch'ien, Autor der *Geschichtlichen Memoiren* aus dem 2. Jahrhundert v. Chr., berichtet, daß diese Tugend sofort bewirkte, daß „... die in Bewegung oder in Ruhe befindlichen Wesen, die großen und kleinen göttlichen Wesen und alles, was von der Sonne oder vom Mond beleuchtet wurde, ruhig und fügsam wurden". Dieser Zustand der Stabilität, in dem alles, Erde, Wasser, Pflanzen, Menschen und Tiere in Disziplin gediehen, ohne daß die einen den anderen zuwiderhandelten, ist der des Großen Friedens (Tai Ping), der Zustand, den es Yao und Shun gelang herzustellen und der dem des mythischen „Goldenen Zeitalters" entspricht. Yu der Große, der Nachfolger Shuns, ist der Protagonist eines heldenhaften Kampfes gegen das Wasser, eine große Überschwemmung, die mit der biblischen Sintflut zu vergleichen ist. Der chinesische Bericht über die Katastrophe setzt jedoch völlig andere Schwerpunkte. Er läßt sich nicht über die hereinbrechenden Wassermengen aus, sondern beschreibt die Eindämmung des Wassers und die Gewinnung von Ackerland durch Deiche und Kanäle. Yu der Große, der heilige Held und Bringer der Zivilisation, war so intensiv mit der Zähmung des Wassers beschäftigt, daß er „... drei Jahre lang an seinem Haus vorbeiging, ohne Zeit zu haben, seinen Fuß hineinzusetzen ...", und er lebte ausschließlich für das Wohl des Volkes, „... ohne an sich selbst zu denken".

Wie bereits gesagt, ist für die Chinesen das Universum ein System von Verhaltensweisen; für ein korrektes Verhalten sind daher auch „Muster" notwendig. Die drei mythischen Herrscher sind Musterbeispiele für die zivile Ethik, und ihr Zeitalter war stets ein idealer Bezugspunkt in der chinesischen Geschichte.

Um ihren politischen Zweck zu erreichen, haben die Gelehrten-Schriftsteller auch der Legende von Yu dem Großen jedes phantastische Element genommen, das hingegen in anderen volkstümlichen Fassungen des Berichtes der Heldentaten enthalten ist.

Yu ist als Begründer der Hsia-Dynastie in die Geschichte eingegangen, die nach der traditionellen Chronologie zu Beginn des 1. Jahrtausends v. Chr. regierte. Von den Fünf Herrschern war er der einzige, dem der Sohn nachfolgte. Die anderen wählten den Mann, der dazu bestimmt war, die Vermittlerrolle zwischen Himmel und Erde zu übernehmen, unter den verdienstvollsten und tugendhaftesten ihrer Minister. Ch'i, der Sohn Yus und zweiter Herrscher der Hsia-Dynastie, wurde nach der Legende auf wunderbare Weise aus einem gespaltenen Stein geboren. Yu sei so intensiv mit seinem Werk der Eindämmung der Gewässer beschäftigt gewesen, daß er nie die Arbeit unterbrach. Seine schwangere Frau mußte ihm die Mahlzeiten aufs Feld bringen. Yu teilte ihr durch Trommelschläge mit, wenn er die Mahlzeiten wünschte, und sie eilte sofort herbei. Um seine Arbeit besser durchführen zu können, nahm er manchmal die Gestalt eines Bären an. Eines Tages überraschte ihn seine Frau dergestalt als Tier und verwandelte sich vor Schreck und Scham in einen Stein. Da Yu nicht den Sohn verlieren wollte, den seine Frau in ihrem Schoße trug, befahl er dem Stein, sich zu spalten, und so kam Ch'i, dessen Name „öffnen" bedeutet, auf die Welt. Bei allen drei königlichen Dynastien, die der Hsia, der Yin und der Chou, wurden die Vorfahren durch ein Wunder geboren. Hsia, der Begründer der Yin-Dynastie, wurde durch ein Schwalbenei gezeugt. Die Legende berichtet, daß seine Mutter mit ihren Mägden im Fluß Yuan badete, als eine Schwalbe ein sehr schönes, fünffarbiges Ei fallen ließ. Es gelang ihr, das Ei zu ergreifen, obwohl sich alle Mädchen darum rissen; sie aß es und wurde schwanger. Die Legende über die Geburt von Hu Tzu, dem Begründer der Chou-Dynastie, geht auf mehr Einzelheiten ein. Seine Mutter setzte eines Tages, als sie die reinigenden Waschungen vornahm, ihren Fuß in einen großen Fußabdruck im Stein. Die Frau wünschte sich seit langem einen Sohn, und ihr Wunsch wurde erhört. Der breite Abdruck stammte von einem Riesen, und es hieß daher von Hu Tzu, daß „... er die Festigkeit eines Berges besaß, entsprechend dem Willen eines Riesen". Zudem sind Yu, Hsia und Hu Tzu die Nachfahren des ersten Herrschers Huang Ti, des Gelben Kaisers und ersten zivilisationbringenden Helden. Dieser mythische Kaiser wird in einigen Schriften als Nachfolger von Fu Hsi bezeichnet, der den Titel Hirte führt, und von Shen Nung, dem Bauern: Huang Ti ist der Herr der Erde, denn das Gelb in seinem Namen bedeutet Löß, das fruchtbare Schwemmland der nordchinesischen Ebene. Die drei Herrscher stellen die drei aufeinanderfolgenden Stadien dar, die die Völkergruppe des chinesischen Reiches durchlaufen hat: zunächst das der wandernden Nomadenhorden, die sich der Jagd, dem Fischfang und der Viehzucht widmeten; dann das der Halbnomaden der Familienklans, die sich zusätzlich der Landwirtschaft widmeten; schließlich das des Übergangs zur Seßhaftigkeit unter der Autorität eines einzigen Anführers.

Diese Legenden über die Vorfahren der ersten Herrscher waren für die große Masse der Bevölkerung ohne jede Bedeutung und weckten keinerlei religiöse Gefühle. Die mythischen Ursprünge der Herrscher hatten einzig und allein als theoretische Rechtfertigung der in erster Linie politischen Lehre der Souveränität und der himmlischen Sendung gedient, und die konfuzianischen Gelehrten, denen jede Transzendenz fremd war, brachten diesbezüglich eindeutig ihre ablehnenden Ansichten zum Ausdruck. In der Frage der Religion und des Gefühls für das Heilige in der chinesischen Kultur sind die Gegensätze zwischen der ländlichen und der städtischen Gesellschaft von jeher ein wesentliches Charakteristikum. Schriften bestätigen seit frühester Zeit das Nebeneinanderbestehen von Dörfern und Städten. Die Bauern und die Bewohner der Städte unterschieden sich in der Art ihres Zusammenschlusses wie in der Art ihrer Lebensführung; ebenso unterschiedlich waren ihre Kultformen, und man kann im Hinblick auf das archaische und feudalistische China von einer ländlich-volkstümlichen Religion und von einer Religion der Klasse der Aristokraten sprechen; diese Dualität ist kennzeichnend für die chinesische Einstellung gegenüber dem Heiligen. Dies gilt auch für die spätere Zeit, in der sich die Klasse der konfuzianischen Staatsbeamten eine eigene Ideologie und Moral aufbauten, die sich eher auf philosophische als auf religiöse Prinzipien stützte und sich damit immer eindeutiger vom Volk und von dessen phantastischem Glauben entfernte.

Hinsichtlich der Beziehung zum Heiligen in den ländlichen Gebieten des archaischen China, vor allem während der feudalistischen Periode bis zum 2. Jahrhundert v. Chr., ist maßgebend, daß das Leben auf dem Land durch den Rhythmus der sich abwechselnden Jahreszeiten bestimmt wird. Die Bauern führten dieses Leben, ohne daß ihre Interessen oder ihre Gefühle über den häuslichen Bereich hinausgingen. Zweimal jährlich allerdings, zu Beginn des Frühjahrs und zum Abschluß des Herbstes, fand eine Unterbrechung statt, die nicht nur ein festlicher Anlaß war, sondern auch und vor allem eine Möglichkeit, aus dem engen Bereich der Familie herauszutreten. Auf diese Weise nahmen alle Anteil an höheren Interessen und Erlebnissen und fühlten sich einer umfassenderen Gemeinschaft und Ordnung zugehörig. Männer und Frauen, deren Arbeitsbereiche streng getrennt waren und die sich fast wie rivalisierende und sich ergänzende Verbände gegenüberstanden, hatten bei diesen Festen Gelegenheit, sich zu begegnen. Es waren Feste der Vergeudung und der Freude, bei dem die während des Jahres mühsam zusammengetragenen Früchte der Arbeit gemeinsam genossen wurden. Die Frauen hatten ihre Webereien beendet, die Männer das Getreide geerntet; jede Familiengruppe verfügte über einen Reichtum, der bei diesem Fest der ländlichen Eintracht großzügig dargeboten und ausgetauscht wurde. Die Feste standen unter dem Zeichen der Sexualität und der Fruchtbarkeit.

Marcel Granet schreibt: „Es war eine Mischung einer Orgie des Essens und einer Orgie der Sexualität. Diese Orgien rissen die Individuen plötzlich aus ihrem monotonen Leben; es wurden in ihnen tiefere Hoffnung erweckt, als ein bäuerliches Volk fähig ist, zu erfassen: sie erregten im höchsten Maße die schöpferische Aktivität des Innenlebens. Die Bräuche und der Glaube, die sich aus dieser außergewöhnlichen Aktivität entwickelt haben, beherrschten die Entwicklung der chinesischen Religion: öffentliche und familiäre Kulte, die Vorfahrenkulte und die ländlichen Kulte, sowie die Kulte des Himmels leiteten sich alle ab von diesen Festen der Fruchtbarkeit der Menschen und der Natur, bei denen sich der häusliche Geist in all seiner Kraft offenbarte, während der Sinn für die Gemeinschaft geschaffen wurde."

Anläßlich der Frühjahrsfeste traf sich die ländliche Gemeinschaft an heiligen Stätten, d.h. an unbebauten Orten, mit wild wachsenden Pflanzen, Gewässern, Tälern und Hügeln, wo die noch unberührte Natur ihren vollen Zauber ausübte und die Gegenwart einer schützenden Macht zu spüren war. Granet gibt ein sehr reizvolles Bild des religiösen Geistes und des Gefühls für das Heilige im alten China. Er stützt sich dabei auf die im *Buch der Oden* gesammelten Lieder und beschreibt, wie sich die Menschen stark fühlten im Einklang mit der natürlichen Ordnung und ihren Festen, „... die die Jahreszeit der Regenfälle eröffneten oder schlossen: waren es vielleicht Feste, die durch das Erscheinen der ersten und der letzten Regenbögen bestimmt wurden? Oder waren es Feste, die ihr Erscheinen heraufbeschworen? ... Ihre kreative Freude verwandelte sich in ein Bedürfnis der Verehrung, die sich dem ihren Versammlungen geweihten Boden zuwandte, der göttlichen Erde, wo alles Verehrung verdiente ..."

Anders war die Stimmung bei den Herbstfesten. Hier wurde die Rückkehr zum Haus und die Ernte gefeiert. Man verzehrte üppige Festmähler in einem Klima der Erregung. Diese Feste standen unter dem Vorsitz der Alten, und die Jugendlichen standen nicht mehr so im Vordergrund wie bei den Frühjahrsfesten. Die Sommerzeit wurde durch die Herbstfeste für tot erklärt, während sie durch die Feste des Frühlings und der Jugend eröffnet worden war: die ländliche Gemeinschaft war davon überzeugt, mit der Natur in Einklang zu stehen und gleichzeitig die Ordnung der Natur zu bestimmen. Die Auffassung, die Welt der Natur und die menschliche Gemeinschaft seien streng solidarisch, war von jeher ein Grundelement chinesischen Denkens. Man sprach den Festen eine doppelte Wirksamkeit zu, die einmal die Menschen durch die Dinge und zum anderen die Dinge durch die Menschen betraf. Es handelte sich um eine unbestimmbare Wirksamkeit religiöser und magischer Natur, die erst durch die Einführung des Kalenders einen festen Rahmen erhielt. In geordneter Reihenfolge wechselten Werke, Tage, Gedenktage, Vorschriften und rituelle Kulthandlungen einander ab und stellten das oberste Gesetz dar, das für die Natur wie für die Menschen gleichermaßen gültig war. Von der uneingeschränkten Wirksamkeit der ländlichen Feste, die allem und allen zugute kamen, da es kein Symbol oder Zeichen für einen bestimmten Zweck gab, erfolgte der Übergang zur extremen Genauigkeit des vom Herrscher eingeführten Kalenders, der der einzige Mitarbeiter des Himmels war.

Die Herausgabe des Kalenders stützt sich auf die Prinzipien des *Yin* und des *Yang*, die anfangs als Unterscheidungskategorien zwischen dem weiblichen und dem männlichen Geschlecht auftraten, später jedoch Gegenstand philosophischer Spekulationen wurden. Die Unterscheidung beschränkt sich allerdings nicht auf die Menschen, sondern dehnt sich auf alle Dinge aus, die *yin* und *yang* sein können. Die beiden einander abwechselnden aktiven Prinzipien bilden die Substanz des Ganzen: der Raum z.B. ergibt sich aus der Nebeneinanderstellung von *Yin* und *Yang*, die Zeit aus ihrer Abwechslung, da sich die Struktur des Universums nicht von der sozialen Struktur unterscheidet, in der die Trennung in Geschlechter von wesentlicher Bedeutung und in der Familie wahrnehmbar ist, wo Männer und Frauen unterschiedliche Arbeiten an verschiedenen Orten und zu verschiedenen Zeiten verrichten. Die weibliche Arbeit, hauptsächlich das Weben, wird im Winter und im Haus verrichtet, während die männliche Arbeit, die hauptsächlich mit der Landwirtschaft verbunden ist, sich im Freien und in der guten Jahreszeit abwickelt. Die Einheit wird nur bei den großen Festen im Frühjahr und im Herbst erreicht, wenn die männliche Arbeit auf die weibliche folgt und umgekehrt, in Übereinstimmung mit der Aufeinanderfolge der Jahreszeiten.

Der Ritus, bei dem die Jungen und die Mädchen den Fluß

durchqueren müssen, bevor sie sich vereinen, ist der heilige Moment, der der Vereinigung von *Yin* und *Yang* vorausgeht. Granet schreibt: „Erzitternd im Kontakt mit dem lebendigen Wasser, fühlten sich die Frauen wie durchdrungen von den über den heiligen Quellen schwebenden Seelen: diese sprudelten hervor, und es schien, daß mit der Ankunft des Frühjahrs ihre Wasser aus einer unterirdischen Gefangenschaft befreit worden seien, wo sie von der toten Jahreszeit eingeschlossen worden waren." Es verbreitete sich der Glaube von den Gelben Quellen, einem unterirdischen Ort, an den sich im Winter die Gewässer zurückzogen und an dem der Tod die Verstorbenen einkerkerte, die ebenfalls im Frühjahr ein neues Leben suchten.

Außer den Gelben Quellen überlebten noch andere mythische Themen das archaische Zeitalter. Sie bauen sich alle auf dem Gedanken von *Yin* und *Yang* auf. Hierzu gehört die volkstümliche Legende von der Weberin und dem Bauern. Die Weberin, Symbol für die jungen Frauen vom Land, verbringt ihr Leben in einsamer Arbeit am Himmel und ist durch ein bestimmtes Sternbild dargestellt; ein anderes Sternbild zeigt den Bauern bei seiner Arbeit auf den himmlischen Feldern. Die beiden Liebenden sind durch den Fluß der Milchstraße getrennt, und sie können nur einmal im Jahr zueinandergelangen, wenn die Arbeit unterbrochen wird und die Weberin über eine Brücke aus unzähligen Elstern den Fluß der Milchstraße überquert; die Köpfe der Vögel tragen keine Federn, weil die Weberin ihre Füße daraufsetzt. Noch heute wird die Weberin als Schutzpatronin der weiblichen Arbeit und des Ehelebens betrachtet. Trotz vieler Abwandlungen hat sich auch der Mythos des regenbringenden Drachen durch die Jahrhunderte gehalten. Im verworrenen ursprünglichen Symbolismus war das Überqueren der Flüsse bei den Festen nicht nur ein Ritus der menschlichen Fruchtbarkeit, sondern gleichzeitig auch ein Fruchtbarkeitsritus des Bodens und hatte daher den Zweck, Regen herbeizuführen. Jungen und Mädchen waren in Gruppen getrennt und vollführten rhythmische, tanzende Bewegungen, die die Bewegungen der Drachen nachahmten, von denen man glaubte, daß sie wie Spiralen in den Himmel hinaufflögen und dort den Regen fallen ließen. Dieser war das Ergebnis eines Kampfes und dann der Vereinigung zweier Drachen gegensätzlichen Geschlechtes, eines Drachen *Yin* und eines Drachen *Yang*.

Die chinesische Vorstellungswelt hat besonders im Vergleich mit dem Reichtum der griechischen oder der indischen Welt nur sehr wenige Legenden und Mythen hervorgebracht. Der Grund für diese Armut an mythologischer Kreativität liegt in der chinesischen Sprache, die keinen morphologischen Unterschied zwischen Verb, Adjektiv und Substantiv kennt und sich daher wenig für das Spiel der Beiwörter eignet, das in anderen Kulturen und Sprachen die mythische Vorstellungswelt kennzeichnet. Auch ist im alten Chinesisch der Handelnde schwer herauszufinden, da das Verb fast immer in der unpersönlichen Form gebraucht wird. Dieser Umstand machte es schwer, handelnde Personen, d.h. Götter oder heldische Hauptpersonen der erzählenden Geschichten zu erfinden. Dieser Einwand bezieht sich allerdings nur auf die archaische Zeit, denn später wurden Mythen erzählt, die sich auf individualisierte Mächte bezogen. Ob es eine spätere Erfindung war oder ob es sich aus der Übersetzung buddhistischer Texte ergab, weiß man nicht – auf jeden Fall fand die chinesische Sprache die Möglichkeit, sie zu beschreiben. Die Armut mythischer Phantasie hat daher noch andere Ursachen. Diese müssen in der Art der sozialen Struktur, d.h. der Teilung von Stadt und Land, gesucht werden. Es wurden unterschiedliche Kulte gefeiert, auch wenn diese auf die gleiche Auffassung von dem, was heilig ist, zurückgehen. Diese Auffassung kam, wenn auch in unklarer und nicht auf eine personalisierte Gottheit bezogener Form, in den großen ländlichen Festen der Jahreszeiten zum Ausdruck. Die Aristokratie zeichnete sich hingegen seit frühester Zeit durch ihre Lebensführung und ihre soziale Organisation aus. Sie stand, anders als die Bauern, untereinander in ständigem Kontakt. Dabei handelte es sich nicht um das Zusammentreffen und den Austausch zwischen gleichgestellten Gruppen, sondern um das hierarchisch geordnete Zusammentreffen unter Führern. So haben die privaten Kulte, wie die der Vorfahren, und die öffentlichen Kulte, wie die des Herrschers des Himmels in der Stadt, ihre Grundlage in der väterlichen Autorität und in der politischen Autorität des Lehnsherrn. Die Religion nimmt hier bald die Merkmale einer offiziellen Religion an, in der Dogma und Riten das Übergewicht über den Glauben haben.

In den vornehmen Städten kamen zu den großen Kulten tausend andere rituelle Handlungen hinzu, die zu Ehren der Gottheiten des jeweiligen Ortes oder Momentes vollbracht werden mußten. Sie erstrecken sich auf viele Bereiche der zwischenmenschlichen Beziehungen und auf alle Handlungen des täglichen Lebens. Dadurch wird alles in die Kulthandlung einbezogen; jede Geste oder Handlung ist vom Sakralen durchdrungen, da jeder Moment des Tages einer religiösen Handlung gewidmet ist.

Diese Einstellung fördert die Verfeinerung der zeremonialen Handlungen. Sie ist der Vorläufer des religiösen Formalismus und später des von der Klasse der konfuzianischen Gelehrten-Funktionäre vertretenen Agnostizismus. Mit Sicherheit begünstigt diese Einstellung nicht die mythischen Erfindungen, und wenn die Religion des Feudalsystems diesen oder jenen Mythos erfand oder sich die aus dem ländlichen Substrat abgeleiteten Mythen aneignete, so geschah dies, um damit das politische System zu verteidigen oder zu verherrlichen. Beispiel hierfür sind die Legenden der wunderbaren Geburten der weisen Herrscher aus dem Goldenen Zeitalter oder der Begründer der Dynastien. Im *Tzo Chuan,* einem Kommentar zum *Buch der Geschichte* aus dem 6. Jahrhundert v. Chr. ist zu lesen: „Die Riten sind die dem Himmel eigenen Abgrenzungen, die der Erde eigenen Unterteilungen, das Verhalten, das sich für den Menschen schickt. Der Himmel und die Erde haben ihre Abgrenzungen, die ihnen eigen sind, und die Menschen nehmen sie sich zum Vorbild. Sie formen sich nach dem Licht des Himmels, sie gründen sich auf den Bau der Erde ... Wenn Überschreitungen stattfinden, ergeben sich daraus Verwirrung und Störung, die Menschen verlieren die eigene Konstitution. Die Riten dienen dazu, sie zu erhalten ..." Diesem Gesamtbild fügt sich die Lehre des Konfuzius ein, der im 6. Jahrhundert v. Chr. lebte. Sie beeinflußte im Laufe von über 2500 Jahren die chinesische Kultur in allen Bereichen. Der Kult der Klasse der Lehnsherren hatte bereits alle Merkmale einer administrativen Religion. Mit Konfuzius oder besser mit der Erhebung der Theorien der konfuzianischen philosophischen Schule zur offiziellen Lehre des Reiches zur Zeit der Han-Dynastie wird diese Religion zur offiziellen Religion der Chinesen; sie ist nicht mehr nur der oberen Schicht der Gesellschaft vorbehalten, sondern erstreckt sich auf die gesamte Bevölkerung, ohne daß diese jedoch davon gefühlsmäßig betroffen ist. Diese besondere Religion verdankt ihre Fortdauer der Existenz und der Aktivität der Klasse der Staatsbeamten und Gelehrten.

Die Lehre des Konfuzius, so wie sie in den klassischen Werken gesammelt wurde, ist eine Gesamtaufstellung von Regeln und Vorschriften für die Ausübung des Ritus, d.h. die Einhaltung der äußeren Form; wird diese respektiert, werden Störungen in der Übereinstimmung zwischen der Welt der Natur und der Welt des Menschen vermieden. Die Riten vermitteln das Gefühl, daß der einzelne durch ihre Befolgung in der Lage ist, jede seiner Handlungen in das große System der Verhaltensweisen einzugliedern, die das Universum bilden. In bezug auf die Existenz der Gottheit oder des überirdischen Lebens hat Konfuzius dazu beigetragen, die chinesische Denkweise zum Rationalismus hinzuführen. Dennoch konnten sich in der nach rationalistischem, konfuzianischem Muster geprägten chinesischen Gesellschaft andere Religionen wie der autochthone Taoismus und der aus Indien stammende Buddhismus ausbreiten. Diese Religionen entsprachen stärker dem individuellen und kollektiven Bedürfnis der Tröstung, vor allem während der Zeiten sozialer Unruhen. Auf den Taoismus wie auf den Buddhismus und den Konfuzianismus läßt sich der Begriff „Religion" nicht anwenden, wenn man deren Stellung innerhalb der chinesischen Gesellschaft betrachtet. Tatsächlich gibt es im Chinesischen kein Wort, das den gesamten Bedeutungsreichtum, die Nuancen und Verflechtungen des Begriffes „Religion" zum Ausdruck bringt. Es gibt das Wort *Chiao,* das „lehren, befehlen", und das Wort *Chia,* das „philosophische Schule" bedeutet. Konfuzianismus, Buddhismus und Taoismus können daher als *Chiao* oder als *Chia* aufgefaßt werden, d.h., sie können dem einfachen Volk als Sekte oder als Kirche und der gebildeten Klasse als Philosophie dargestellt werden. Es handelt sich um eine sehr praktische Zweiteilung, die erklärt, warum Feng Yu-lan die Behauptung aufstellen konnte, in China käme der Philosophie die gleiche Rolle zu wie im Westen der Religion. Untersucht man Konfuzianismus, Buddhismus und Taoismus als *Chiao,* so stellt man fest, daß jede von ihnen ihre eigene Entwicklung durchschritten hat und daß sie sich gegenseitig beeinflußt haben. Sie haben auch ältere Formen des Volksglaubens in sich aufgenommen, so daß Synkretismus und Toleranz kennzeichnend sind für die chinesische Art, sich dem Heiligen zu nähern und es zu erleben.

Pilgerfahrt zum Taishan

Unten: Eine Straße von Tai-an. Die Stadt war während der Zeit der Kuomintang und des Bürgerkrieges zwischen Nationalisten und Kommunisten völlig verwahrlost, und ein Großteil der Tempel war als Kasernen eingerichtet worden. Erst 1956 wurde mit den Restaurationsarbeiten begonnen.
Rechts: Ein achteckiger Zaun umfaßt den höchsten Gipfel des Berges Tai, genannt Himmlische Säule des Berges Tai oder Säule des Himmels; hier liegt der Tempel des Erhabenen der Jade.

Seite 17: Der 1730 errichtete Triumphbogen aus Stein ist der Beginn des Aufstiegs zum Gipfel und liegt etwa einen Kilometer vom Tempel entfernt, der der Gottheit des Berges Tai geweiht ist.

Seiten 18–19: Blick auf die Stadt Tai-an, mit dem Berg Tai, einem der Fünf Heiligen Berge Chinas, im Hintergrund. Tai-an lebt hauptsächlich vom Tourismus, und in zahlreichen Hotels und Gasthöfen finden Pilger aus allen Teilen des Landes Aufnahme, die das ganze Jahr über, aber hauptsächlich im Frühjahr, hierherströmen. Der Berg Tai wird noch immer als die bedeutendste heilige Stätte Chinas betrachtet und ist außerdem ein Ort zauberhafter Schönheit.

Seiten 22–23: Der Gipfel der Kontemplation der Sonne, auf der Spitze des Berges, eingefaßt durch eine in Serpentinen verlaufende Mauer.

古登封
極頂

Rechts: Der Tempel der Prinzessin der bunten Wolken, die Schutzgöttin der Frauen und Kinder, höchste Gottheit der Fruchtbarkeit, hebt sich in der Ferne vom Bergkamm ab. Die Göttin ist im Volksglauben die Lieblingstochter des Berges Tai, von dem alle Geburten abhängen.

Folgende Seiten: Die berühmte Stele ohne Inschrift; sie ist fünf Meter hoch und von einem Kapitell gekrönt. Die Stele steht vor dem Eingang zum Tempel des Erhabenen der Jade, der höchsten Gottheit der synkretistischen Volksreligion. Die Tafel links erklärt, daß laut der Überlieferung diese Stele 219 v. Chr. durch den ersten Kaiser Chin Shih Huang Ti errichtet wurde und daß die in den Stein gemeißelten Schriftzeichen durch die Unbilden der Witterung ausgelöscht wurden, denen die Stele zwei Jahrtausende hindurch ausgesetzt war.

无字碑

Links: Eine natürliche Brücke, die sich aus zwei Felsblöcken gebildet hat und deren Festigkeit sehr fraglich erscheint. Es ist die sogenannte Brücke der Unsterblichen Taoisten. Man gelangt zu ihr, wenn man vom Hauptweg, der zum Gipfel führt, nur leicht nach links abweicht.

Unten: Blick auf den heiligen Berg Chinas, wie er sich darbietet, wenn man aus dem Tor des Lu-Blickes schaut, das sich im Tempel des Gottes des Berges Tai öffnet. Im Buch der Oden, *der ältesten Sammlung heiliger Gedichte und Hymnen Chinas, lautet ein auf Anordnung von Konfuzius übersetztes Gedicht folgendermaßen: „Der Berg Tai erhebt sich hoch im Land des Lu, und von überall her hat man den Berg im Blick.“ Lu war der Name des Feudalstaates, in dem Konfuzius geboren wurde und in dem sich der Berg Tai erhebt: das Tor des Tempels wurde nach diesem Gedicht Lu-Blick benannt.*

雲峯
興國同安
置身霄漢
巖巖

In der Mitte des Bildes ist, umgeben von anderen Inschriften, die in den Felsen gehauene Stele erkennbar, auf die die Lobrede *des* Taishan *(Berg Tai) übertragen wurde. Die Inschrift wurde 726 eigenhändig vom Kaiser Hsuan Tsung aus derTang-Dynastie eingehauen, der auf dem Gipfel des Berges das* Feng-*Opfer feierte. Dies bestand darin, daß der Gottheit des Tai eine Dankesbotschaft anvertraut wurde, die dem Himmel zu übermitteln war.*

Seiten 32–33: Der Gipfel der Kontemplation der Sonne, der auf das Tal hinausragt. An dieser Stelle soll Konfuzius gesagt haben, daß ihm von solcher Höhe aus die ganze Welt klein erscheine.

Seiten 34–35: Einige vom Kaiser Chien Lung 1756 zu Ehren des Berges Tai verfaßte Verse. Sie sind in riesigen karminroten Buchstaben auf einer Felsplatte in der Nähe des Gipfels der Kontemplation der Sonne, nicht weit vom nördlichen Felsen entfernt, eingehauen.

Die Fassade des Tempels des Himmlischen Geschenkes, das Hauptgebäude der Taishan geweihten Tempelanlage am Fuße des Berges. Dieser Tempel, der auch den Namen Tempel der Erhebung zum Höhepunkt trägt, wurde im 2. Jahrhundert n. Chr. errichtet und zur Zeit der Sung-Dynastie, im 12. Jahrhundert, erweitert. Seither wurde er mehrmals restauriert und vergrößert und ist eines der bedeutendsten Beispiele der chinesischen sakralen Architektur.

Seiten 38–39 und 40–41: Zwei Ausschnitte aus dem großen Freskogemälde aus der Sung-Zeit, das die Wände des Hauptsaales des Tempels des Himmlischen Geschenkes schmückt. Das Gemälde stellt mit einer Vielzahl von Einzelheiten die feierliche Wallfahrt des Kaisers Cheng Tsung zum Berg Tai dar. Der Kaiser wollte der Berggottheit Ehre erweisen und verlieh ihr den Titel „Dem Himmel gleicher Kaiser, gut und heilig".

In den Höfen des Taishan geweihten Heiligtums am Fuße des Berges befinden sich zahlreiche Gedenkstelen, von denen die ältesten aus der Zeit der Han-Dynastie stammen, die vom 2. Jahrhundert v. Chr. bis zum 2. Jahrhundert n. Chr. regierte. Besonders verehrt wird die linksstehende alte Stele mit senkrechten Auskehlungen. In der Mitte steht die uralte, noch immer grünende Zypresse, die, wie die Aufschrift in großen Buchstaben rechts besagt, während der Han-Zeit gepflanzt wurde, wahrscheinlich im Jahre 100 n. Chr.

Seite 44: Eine Stele aus der Zeit der Sung-Dynastie, als der Kult des Berges Tai auf kaiserlichen Befehl wiederbelebt wurde. Die drei Schriftzeichen, die auf dem Stein zu lesen sind, bedeuten „Erster unter den Bergen“.

樹種漢時
集經石峪大字

第一山
米芾書

Der heilige Berg Chinas

Vorhergehende Seite: Das Tor zur Erreichung der Unsterblichkeit; von hier aus wird die zum Gipfel führende Treppe sehr steil. Am Ende der Treppe ist das Südliche Himmelstor zu erkennen, durch das man auf das Plateau auf dem Berggipfel hinaustritt. Es ist umgeben von Bergspitzen, die alle einen Namen tragen, der entweder auf einen heiligen Ursprung zurückgeht oder sich auf die Schönheit der Landschaft bezieht. Hier ist die Möglichkeit gegeben, den magischen Moment der mystischen Vereinigung mit der Natur zu erleben.

Am Gipfel des Taishan oder Berg Tai angelangt, sagte Konfuzius: „Vom Gipfel des Berges Tai aus kann man erkennen, wie klein die Welt ist." Auf dem Sterbebett, seines unvollendeten Werkes gedenkend, erlebte der Meister einen Moment der Angst und sang: „Nun stürzt der Berg Tai zusammen / der Tragebalken ist morsch / der Weise geht, wie eine welke Blume." Seit undenklicher Zeit wird der Berg Tai als heilige Stätte Chinas verehrt: hierher kamen Könige und Kaiser gepilgert, um den Himmel zu verehren und um zu beten, um Dank zu sagen für den herrschenden Frieden und den Wohlstand, oder um diese für ihr Reich zu erbitten.

Der Berg Tai ist nur 1540 m hoch, ist aber im hügeligen Gebiet der Hochebene der nordöstlichen Provinz Shantung weithin sichtbar. Hier erstreckte sich einstmals das Fürstentum Lu, in dessen Hauptstadt ca. 550 v. Chr. Konfuzius geboren wurde. Es ist der Ort, an dem alle Religionen Chinas zusammenlaufen, von der archaischen bis zur jüngsten Zeit. Trotz einer kontinuierlichen Entwicklung sind die Religionen und Kultformen bis heute nicht immer die gleichen geblieben.

Neue Ideen und neue Glaubensformen haben sich jedoch stets in die bereits bestehende Ordnung eingefügt, ohne sie umzuwälzen, denn es haben in China nie mit denen des Westens vergleichbare Revolutionen stattgefunden, die die Kontinuität mit der Vergangenheit jäh abgebrochen hätten, wie es durch das Christentum, eine Heilsreligion, die Abschwörung und Konversion verlangte, geschehen ist.

So hat sich ihr Bestand an Mythen, Religionen und Kulten im Laufe der Zeit durch das Nebeneinander von Elementen verschiedenen Ursprungs herausgebildet. Alte einheimische Gottheiten leben zusammen mit buddhistischen Heiligen, Persönlichkeiten, die wirklich gelebt haben und nach ihrem Tod vergöttlicht wurden, vermischen sich mit Wesen himmlischer Natur und werden zur Personifizierung von Naturphänomenen, wie dem Wind, dem Regen, dem Blitz, dem Donner. Mit der Zeit hat sich auf diese Weise eine Volksreligion herausgebildet, die von den drei großen Religionen Chinas, dem Konfuzianismus, dem Taoismus und dem Buddhismus, die Götter, den Glauben und die Kulte übernommen hat. Auch einige Elemente der Religion des archaischen China überleben noch. Die Menschen haben stets jeder Gottheit ohne Bevorzugung und ohne Unterschied Ehre erwiesen. Dies war wahrscheinlich deshalb möglich, weil es nie oberste religiöse Instanzen gab, die die Autorität besessen hätten, die Götter anderer religiöser Überlieferungen als „falsch und unwahr" zu bezeichnen. Während bestimmter geschichtlicher Abschnitte haben sich allerdings Konfuzianismus oder Taoismus als die reine Lehre dargestellt und sich nach einem strengen doktrinären Schema organisiert, wurden schließlich aber dank des „Geistes der Aussöhnung", der der chinesischen Art der Auffassung des Lebens und der heiligen Dinge innewohnt, wieder eingeschränkt. Die Weisen und Gelehrten hegen zwar absolutes Mißtrauen gegenüber den magischen und übernatürlichen Phänomenen, das Volk hingegen glaubt an Wunder, Zauber, Geister und an alle Götter, hat sich aber stets mit einer gewissen ruhigen Vertrautheit gegenüber allen übernatürlichen Manifestationen verhalten und sich nie unterwürfig oder ängstlich gezeigt. So sind z. B. Gespenster und Fuchs-Geister die Haupthandelnden zahlreicher Legenden. Unter dem Volk war der Glauben verbreitet, daß die Füchse über eine ungeheure Lebensenergie verfügten, weil sie in unterirdischen Höhlen lebten und Kontakt mit der lebenspendenden Kraft der Natur hatten. Wenn sie menschliche Gestalt annahmen, verloren sie an Energie, und um den Verlust wettzumachen, paarten sie sich mit menschlichen Wesen und saugten den Frauen die Energie *Yin* und den Männern die Energie *Yang* aus.

Eine berühmte Novellensammlung, *Die wunderbaren Geschichten des Liao,* bringt zahlreiche Geschichten über männliche oder weibliche Füchse, die Frauen oder Männer verführen. Die Füchse sind aber nicht nur böse Geister, und nicht immer ist der Verkehr mit ihnen Ursache für Unglück. Im Gegenteil, in Gestalt schöner Mädchen übernimmt der Fuchs oft die Rolle der guten Fee, die Glück und Wohlstand in die Familien bringt. Auch die Paarung mit Geistern ist ein wiederholt auftretendes Thema, wird aber nicht als ein makabres Ereignis betrachtet, denn der absolute Gegensatz zwischen Gut und Böse, zwischen Leben und Tod, ist der chinesischen Mentalität fremd; sie ist vielmehr von der Vorstellung einer vertrauten Gemeinschaft zwischen den natürlichen und übernatürlichen Wesen beherrscht. Der berühmte italienische Orientalist Giuseppe Tucci schreibt, daß die phantastischen Geschichten „... vom Geist des Chuang Tzu durchdrungen sind, einer der großen taoistischen Meister, für die die Ereignisse, die Wechsel und die Veränderungen im Leben und im Tod die plötzlichen Erscheinungen im ewigen Spiel und im Unendlichen des Tao sind". Mit anderen Worten, in der chinesischen Lebensauffassung ist das Heilige allen Dingen immanent und offenbart sich nicht nur gelegentlich. Die übernatürlichen Wesen, die Götter, verfügen nicht über dieses Monopol der Heiligkeit: sie können in bestimmten Momenten Angst einflößen, können angerufen werden, um eine Katastrophe zu vermei-

Seiten 48–49: Das Südliche Himmelstor, ein zweistöckiges Bauwerk aus dem 12. Jahrhundert. Der obere Pavillon mit dem doppelten gebogenen Dach heißt Pavillon, der den Himmel berührt. Links im Hintergrund die Öffnung der Höhle der weißen Wolken, von der man glaubte, es kämen aus ihr die den wohltuenden Regen bringenden Wolken heraus. Im Jahre 1956 wurde zufällig bei Restaurationsarbeiten unter der Erde ein Stein gefunden, der die Inschrift des Dichters und Staatsmannes Tu Jen-chieh trägt, der dem Kaiser während der Zeit der Herrschaft der mongolischen Yüan-Dynastie diente. Tu Jen-chieh beklagt den moralischen Niedergang der Gesellschaft, den Abfall von den Traditionen und fleht den Berg Tai um Hilfe an.

den, aber sie sind wie die Menschen ebenfalls mit konkreten Dingen beschäftigt; jeder von ihnen hat seine eigenen Befugnisse, seine eigenen Klienten, seinen eigenen Einflußbereich, der manchmal sehr beschränkt und oft nur vorübergehend ist. Götter dieser Art können daher nicht als Prinzip und Quelle der Ethik herangezogen werden, die der menschlichen Gemeinschaft anvertraut bleibt.

Der Olymp der chinesischen Volksreligion ist daher von Göttern aller Religionen, die im Namen des „Geistes der Versöhnung" zusammenleben, bevölkert; zudem wird die chinesische Mentalität vom Sinn für die harmonische Symmetrie beherrscht, und die Götter leben in einer Welt, die nach dem Vorbild der Welt der Menschen gestaltet ist und in der die gleichen Regeln und Bräuche herrschen, in einer Welt, die nach den gleichen hierarchischen Prinzipien des Kaiserreiches aufgebaut ist.

Ebenso, wie es auf Erden einen obersten Herrscher gibt, gibt es im Himmel einen einzigen Herrn, einen obersten Gott, der über alle anderen herrscht. Dieser Gott heißt „Erhabener der Jade" oder „Oberster Kaiser, Erhabener der Jade" und ist in gewissem Sinne der Erbe des archaischen Herrschers der Höhe, der der taoistischen Auffassung angepaßt wurde. Diese besagt, daß der Himmel von der Triade der Drei Reinen regiert wird. „Erhabener der Jade" (Jade ist das Symbol für die Reinheit) ist der Name des Zweiten Reinen: der erste heißt „Ehrwürdiger Himmlischer des Ursprungs", der zweite „Ehrwürdiger Himmlischer Erhabener der Jade", der dritte „Ehrwürdiger Himmlischer der Morgenröte der Jade des goldenen Tores". Nach der taoistischen Religion regieren die Drei Reinen nicht gemeinsam, sondern nacheinander. Zu Beginn war das Reich des „Ehrwürdigen Himmlischen des Ursprungs"; er übertrug dann alle seine Aufgaben dem „Ehrwürdigen Himmlischen Erhabenen der Jade", der heute die Geschicke der Welt lenkt. Nach ihm wird der Dritte und letzte Reine den Thron besteigen.

Der „Erhabene der Jade" der Volksreligion ist jedoch weder gleichzusetzen mit dem Herrscher der Höhe aus der alten Zeit noch mit dem Zweiten taoistischen Reinen, von dem er nur den Namen übernommen hat. Es ist ein Gott, der von einem Kaiser im Jahre 1008 n. Chr. erfunden wurde, um seine Dynastie neu zu festigen. Aufgrund eines demütigenden Friedensabkommens mit den Tungusen war er vom Verlust seiner Vorrangstellung bedroht. Er war in Gefahr, durch einen Volksaufstand gestürzt zu werden und das himmlische Regierungsmandat zu verlieren. Der gewitzte Minister Wang Ching-chiao riet dem Kaiser (998–1023) zu behaupten, er stünde in direkter Verbindung mit dem Himmel. Andere Kaiser vor ihm hätten sich der gleichen Lüge bedient, als sie erklärten, wunderbare Offenbarungen von Genien oder anderen übernatürlichen Wesen empfangen zu haben, um damit ihre wankende Herrschaft zu stützen. Der Kaiser ließ sich überzeugen. Er rief im Jahre 1008 die höchsten Würdenträger des Hofes zusammen und erklärte vor der Versammlung feierlich: „Am elften Tag des vergangenen Jahres, im zwanzigsten Tag des Zyklus, kurz vor Mitte der Nacht, während ich einschlief, breitete sich in meinem Zimmer ein grelles Licht aus, und es erschien mir ein Genius. Er trug auf dem Haupt eine Krone aus Sternen und war in ein scharlachrotes Gewand gekleidet; er teilte mir mit, daß ich bald ein himmlisches Sendschreiben erhalten solle; ich solle mich auf das Ereignis vorbereiten. Gerührt richtete ich mich auf, um dem Genius zu danken, dieser aber verschwand. Heute hat mir der Gouverneur der Hauptstadt verkündet, daß während der Nacht am Gesims der Himmelspforte auf wunderbare Weise ein gelbes Seidentuch aufgehängt wurde. Es muß sich um die Botschaft handeln, die der Himmel sich herabgelassen hat mir zu übermitteln …" Die Geschichte berichtet, daß sich alle Würdenträger dem Kaiser zu Füßen warfen, um ihm zu huldigen. Nun begab sich der Kaiser an der Spitze eines langen Zuges der Minister und Staatsdiener zur Himmelspforte und befahl zwei Männern, den gelben Seidenstoff vom Gesims herunterzuholen, der in der Tat einen Brief enthielt. Der Kaiser kniete nieder, nahm ihn in Empfang und brachte ihn in den Palast, wo er ihn auf einen eigens dafür hergerichteten Altar legte. Einer der Minister las den Inhalt der Botschaft vor, und der Kaiser hörte kniend andachtsvoll zu. Der Himmel beglückwünschte sich mit ihm wegen der Weisheit seiner Herrschaft, forderte ihn auf, immer besser zu regieren, und verbürgte sich dafür, daß seine Dynastie die Jahrhunderte überdauern sollte. Es wurden Boten ausgesandt, die das wunderbare Ereignis den Göttern des Bodens und der Ernten sowie den kaiserlichen Vorfahren mitteilen sollten. Der Kaiser verkündete, daß das Zeitalter des göttlichen Zeugnisses begonnen habe, erließ eine Generalamnestie und beförderte viele Staatsdiener, damit man im ganzen Reiche von nichts anderem spräche als von diesem wunderbaren Ereignis. Nur ein Archivar der kaiserlichen Bibliothek soll dazu bemerkt haben: „Wieso schreibt der Himmel, der nicht spricht, jetzt sogar Briefe?" Er fand jedoch keine Beachtung. Das göttliche Zeugnis ließ keinen Zweifel darüber aufkommen, daß sich die Dynastie der besonderen Gunst des Him-

mels erfreute, und man beschloß, der Kaiser solle sich auf den Gipfel des Berges Tai begeben, um dort das *Feng*-Opfer zu feiern, eine feierliche Danksagung, die seit vierhundert Jahren vernachlässigt worden war. Einige Würdenträger begaben sich zum heiligen Berg, um die nötigen Vorbereitungen zu treffen. Kurze Zeit darauf sandten sie ein weiteres göttliches Sendschreiben in die Hauptstadt, das sie, ebenfalls in einen gelben Schal gewickelt, auf der Spitze eines jahrhundertealten Baumes auf dem Gipfel des Berges Tai gefunden hatten. In diesem zweiten Brief stand geschrieben: „O Kaiser, du bist in Wahrheit mein ergebener Sohn und hast das Volk glücklich gemacht; daher lasse ich dir die Gunst zukommen, dir feierlich meine Genugtuung kundzutun. Hiervon sollen alle in Kenntnis gesetzt werden! In allen Provinzen möge Wohlstand herrschen und du mögest ein langes Leben haben!“ Die Minister brachen über die Tugend des Kaisers in Jubel aus und verliehen ihm folgende Titel: Erhabener, Gelehrter, Verehrer des Himmels, Befolger des Weges, durch besondere Gaben Geehrter, Weiser, Erleuchteter, Frommer ... Als die Vorbereitungen auf dem Berg Tai abgeschlossen waren, verließ der Kaiser die damalige Hauptstadt Kai-feng; seinem Wagen voran zog ein noch prachtvollerer, auf dem in zwei Goldschatullen die beiden himmlischen Sendbriefe mitgeführt wurden. Die Reise dauerte siebzehn Tage. Nachdem der Kaiser am Berge Tai angelangt war, reinigte er sich, widmete sich geistigen Übungen und stieg zum Gipfel des Berges, wo er das dem „Herrscher der Höhe des leuchtenden Himmels“ geweihte *Feng*-Opfer feierte. Im Jahre 1012 verkündete allerdings ein kaiserliches Edikt, daß die besonderen Gunstbezeigungen dem Kaiser vom Erhabenen der Jade erwiesen worden waren; diesem wurden 1015 andererseits die Titel „Reiner Erhabener“, „Großer Herrscher des Himmels“, „Oberster Urheber des Himmels, des Universums und der menschlichen Geschicke“ verliehen. 1017 wurde ebenfalls durch ein kaiserliches Edikt befohlen, daß Statuen des mit kaiserlichen Gewändern bekleideten Erhabenen der Jade in allen Tempeln des Kaiserreiches aufgestellt werden sollten.

So nimmt die Geschichte des „Erhabenen der Jade“ seinen Anfang, ein Gott, von dem – wie viele skeptische konfuzianische Gelehrte feststellen – bis zu diesem Zeitpunkt nichts bekannt war. Unerklärlicherweise wird er jedoch sofort populär, und sein Kult wird überall gefeiert. Wahrscheinlich stand der Erhabene der Jade im Volksglauben bereits im Rang einer obersten Gottheit, denn anders wäre dieser plötzliche Erfolg nicht zu erklären. Kaiser Cheng Tsung hätte sich wohl kaum der Autorität einer unbekannten Gottheit anvertraut, auf die er seine göttliche Investitur zurückführte.

Die Gestalt des Erhabenen der Jade wurde durch die Phantasie des Volkes weiter ausgeschmückt. Man schrieb ihm sogar eine Familie und einen Hof zu, wobei bereits früher existierende Gottheiten mit ihm in ein Verwandtschaftsverhältnis gestellt wurden. Auf diese Weise herrschte in dem um den Erhabenen der Jade künstlich aufgebauten chinesischen Pantheon die denkbar größte Verwirrung. Sein Palast befindet sich im höchsten Himmel, und davor steht Wang, der Transzendenter Beamter oder auch Himmlischer General genannt wird, ständig Wache; diese Gottheit erlangte seit dem 15. Jahrhundert Berühmtheit, als ihm zu Ehren in Peking ein Tempel errichtet wurde. Einstmals ein gewöhnlicher Sterblicher, ein Mann von außergewöhnlicher Kraft, der die Armen vor den Schikanen habgieriger Staatsdiener beschützte, war er als taoistischer Heiliger bekannt. Die Legende berichtet, der Erhabene der Jade habe ihn belohnen wollen und habe ihn deshalb zuerst zum Heiligen und dann zum Wächter seines Palastes gemacht. Er steht immer mit einem dicken Stock vor dem Tor, bereit, die lästigen Besucher zu verjagen. Von Zeit zu Zeit wird er vom Erhabenen der Jade in Sondermission auf die Erde gesandt, um jene zu töten, die Unrecht oder Mißbrauch gegenüber den Schwachen verübt haben.

Eine der Nebenfrauen des Erhabenen der Jade ist die Göttin Pferdekopf, eine Gottheit, deren Abstammung unbekannt ist, die aber als Schutzgöttin der Seidenraupenzüchter eine bedeutende Rolle spielt. Eine ihrer Töchter, die siebte, erfüllt den Mädchen den Wunsch, im voraus den Mann kennenzulernen, der ihnen zum Gatten bestimmt ist. Der Neffe des Erhabenen der Jade, ein Sohn seiner Schwester, ist eine sehr berühmte Gottheit, dem die Aufgabe zukommt, die bösen Geister zu verjagen, die er von einem Ungeheuer, dem himmlischen Hund, verfolgen läßt.

Am Hofe des Erhabenen der Jade gibt es Minister, Generäle und ein ganzes Heer von Staatsdienern. Andere Gottheiten sind Abgesandte des Erhabenen auf Erden; sie müssen ihm einmal jährlich Rechenschaft über ihre Arbeit ablegen und werden je nach ihren Verdiensten oder Vergehen befördert oder zurückgestuft. Der Erhabene der Jade verhält sich somit genauso wie der menschliche Kaiser gegenüber seinen Staatsdienern. Die himmlischen Ministerien sind ebenso zahlreich wie die auf der Erde: es gibt die Ministerien des Donners und des Windes, der Gewässer, des Feuers, des Krieges, des Schrifttums, der Zeit (Wetter), der Geisterbeschwörung, der

Seiten 52–53: Eine von jahrhundertealten Pinien beschattete Aussichtsterrasse lädt zu einer Ruhepause ein. Rechts der Pavillon der Fünf Pinien-Großoffiziere. Die Geschichte erzählt, daß Chin, der erste Kaiser, im Jahre 219 v. Chr. zum Gipfel des Berges Tai aufstieg und dabei hier von einem heftigen Gewitter überrascht wurde. Er fand unter dem breiten Schirm einer Pinie Schutz, der er zum Zeichen der Dankbarkeit den Titel „Großoffizier des Fünften Grades" verlieh. In der Folge wurde zu Ehren der Pinie ein Pavillon errichtet. Die Inschrift jedoch, die den ihr vom Kaiser verliehenen Titel wiedergab, wurde falsch verstanden, und statt „Großoffizier des Fünften Grades" wurde „Fünf Pinien-Großoffiziere" gelesen.

Pocken oder der Epidemien, der Finanzen, der öffentlichen Arbeiten und viele andere mehr. An der Spitze eines jeden Ministeriums steht ein Vorsitzender, dem eine Unmenge Angestellte untergeordnet sind. Diese Organisation wurde nicht bis in alle Einzelheiten vom Volksglauben übernommen; hier überlebten nur jene Gottheiten, um die sich im Laufe der Jahrhunderte die meisten Legenden gesponnen haben, wie z. B. um Lu Pan, den Vorsitzenden des Ministeriums der öffentlichen Arbeiten am Hofe des Erhabenen der Jade, der als Schutzpatron der Tischler verehrt wurde.
Ebenso vom Volksglauben übernommen wurde der Vorsitzende des Finanzministeriums; ihm waren alle Götter des Reichtums unterstellt, die über das Schicksal eines jeden Familienverbandes bestimmten. Alle Gottheiten üben Funktionen aus, die sie in direkte Beziehung zur Gesellschaft setzen – sowohl die mit besonderen Eigenheiten, die sich aus der Überlagerung und Verflechtung von Legenden über ihren Ursprung ergeben, als auch die ohne besondere Eigenheiten. Sie stehen in gewissem Maße im Dienste des Menschen, der ihm nach Belieben Verehrung erweisen oder ihn ignorieren kann. Besondere Beachtung findet der Gott des Donners, eine der Gottheiten der alten Religion, die mit nur wenigen Abänderungen in das um den Erhabenen der Jade versammelte Pantheon übernommen wurde. Ursprünglich wurde er als Eule dargestellt; davon sind in der gängigen Ikonographie der Schnabel und die Flügel erhalten geblieben, die einem menschlichen dunkelblauen Körper angefügt sind. Er ist Vorsitzender des Ministeriums des Donners, lebt aber nicht ständig bei Hofe. Er hat eine Familie. Von seiner Frau ist nur wenig bekannt, und nur in bestimmten Gebieten Chinas hält man die Mutter der Blitze für seine rechtmäßige Frau. Diese Göttin hält zwei Spiegel in der Hand, mit deren Hilfe sie ihre gefürchteten Pfeile abschießt. Über ihre Kinder, die Kleinen Donner, hingegen sind zahlreiche Legenden im Umlauf.
Es handelt sich um Legenden über Gottheiten, Kindergeschichten, schöne, teilweise humoristische, teilweise tragische Märchen, die alle ein moralisierendes Ende haben. Die Unterscheidung zwischen den übernatürlichen Wesen, die der synkretistische chinesische Kult umfaßt, ist von geringer Bedeutung. Alle Gottheiten werden verehrt, und alle sind gleichzeitig Hauptgestalten nicht immer erbaulicher Geschichten, in denen sich die vermenschlichten Götter ebenso oder schlechter als die Menschen verhalten. Die Drachenkönige z. B. können menschliche Gestalt annehmen und verführen schöne Mädchen; dabei vergessen sie, daß sie eigentlich die Aufgabe haben, den Regen fallen zu lassen. Nur von geringer Bedeutung ist die Tatsache, daß es im himmlischen Ministerium des Donnergottes einen ihm untergebenen Herrn des Regens gibt: dieser Gott wird von den Bauern ignoriert, die, seit es China gibt, sich während der Trockenzeiten stets an die Drachen wenden; ihnen bringen sie Opfer dar und organisieren ihnen zu Ehren Regatten und Prozessionen an den Flußufern. Diese phantastischen Wesen gab es bereits in der autochthonen Überlieferung. Als sich in China der Buddhismus durchsetzte, wurden sie den Naga der indischen Mythologie angeglichen. Von letzteren gibt es in den buddhistischen heiligen Schriften acht, während es in China vier Drachen gibt, von denen jeder eines der vier Meere beherrscht. Der wichtigste Drache ist der des östlichen Meeres, der sich jedes Jahr zum Erhabenen der Jade begibt, um über seine Arbeit und die der anderen Drachen Rechenschaft abzulegen. Man glaubt, er werde im dritten Monat in den Himmel gerufen, der deshalb der Monat der großen Regenfälle ist.
Die Frau, die die Wolken wegfegt und den klaren Himmel zurückbringt, gehört eher in die Folklore als in den Bereich der Religion oder des Kultes. Sie wird immer mit hochgekrempelten Hemdsärmeln und mit einem Besen in der Hand dargestellt. In einigen Gebieten glaubt man, ebenso wie sie fähig sei, die Wolken zu vertreiben, sei sie auch fähig, sie zusammenzutreiben, und ruft diese Göttin im Fall einer Trockenperiode um Hilfe an.
Nachfolger der Götter des Bodens der archaischen Religion sind die Schutzgottheiten der Verwaltungsbereiche des Reiches. Sie heißen Götter der Mauern oder der Festungsgräben in größeren Städten und einfach Götter des Ortes, wenn sie kleineren Dörfern vorstehen. Wie alle Götter des volkstümlichen chinesischen Pantheons sind sie dem Erhabenen der Jade unterstellt und werden als kleinere Beamte seiner Verwaltung betrachtet. Fast immer handelt es sich um Männer, die wirklich gelebt haben und die sich in irgendeiner Weise um die Bevölkerung ihres Geburtsortes verdient gemacht haben. Einige wurden vor relativ kurzer Zeit in den Stand der Gottheit erhoben, wie z. B. der Schutzgott von Kueilin, der General Chang Tung-shan, ein Getreuer der Ming-Dynastie, der aus diesem Grund 1659 von den mandschurischen Eroberern, den Begründern der Ching-Dynastie, zum Tode verurteilt wurde. Auch der Gott der Mauern und der Festungsgräben Pekings ist relativ jung; es handelt sich um einen besonders ehrenhaften und gelehrten kaiserlichen Beamten der Ming-Dynastie, der 1556 gestorben ist. Der Schutzgott von Nanking hingegen

ist (ein Angehöriger des Militärs) der Kriegsminister, der 1449 die Stadt gegen den letzten Ansturm der bereits auf dem Rückzug befindlichen Mongolen verteidigte. Andere Götter der Mauern und der Festungsgräben sind wahrscheinlich Phantasiewesen oder Männer, die wirklich gelebt haben und in Vergessenheit geraten sind. Jeder dieser Gottheiten stehen Untergebene zur Verfügung, die ihnen helfen, die Gemeinschaften zu schützen. Dazu gehören der alte Weiße Vater, der alles sieht, was tagsüber geschieht, und der alte Schwarze Vater, der alles sieht, was nachts geschieht.

Die Götter der Mauern und der Festungsgräben haben dem Ministerium der Gerechtigkeit des Erhabenen der Jade Rechenschaft abzulegen. Ihnen unterstellt sind die Götter des Ortes, die im allgemeinen einem Dorf oder auch dem Stadtviertel einer größeren Stadt vorstehen. Auch diese Götter sind oft berühmte Personen, die nach ihrem Tod vergöttlicht wurden. Ihnen kommt die Aufgabe zu, die Personenregister in ihrem Bereich auf dem laufenden zu halten.

In der hierarchischen Ordnung der Gottheiten treten auch die Familiengötter auf, die den Göttern des Ortes unterstellt sind. Sie haben die Aufgabe, die Gebäude und die Menschen, die diese bewohnen, zu beschützen. Der wichtigste ist der Gott des häuslichen Herdes, dessen Bild in jedem Haus verehrt wird. Er wird immer als alter Weiser mit weißem Bart in Begleitung seiner Frau dargestellt. Würdevoll und unerschütterlich sitzend, beobachtet er aus einer Nische über dem Küchenherd heraus alles, was innerhalb der Familie geschieht. Seine Frau steht im allgemeinen neben ihm und füttert die Haustiere. Sie führen Buch über die Taten und Missetaten der Familienmitglieder; er kümmert sich um die Männer, sie um die Frauen. Am vierundzwanzigsten Tag des zwölften Monats wird ihnen anläßlich ihrer Abreise in den Himmel, wo sie dem Erhabenen der Jade Bericht erstatten, ein üppiges Mahl dargebracht. Das Glück der Familie hängt von dieser Berichterstattung ab: wenn die guten Handlungen überwiegen, spendet der Erhabene der Jade Glück. Es ist daher angebracht, sich den Gott zum Freund zu machen, bevor er in den Himmel aufsteigt, und man opfert ihm ein Mahl mit mindestens sechs Gängen. Nachdem die Speisen, die die Familie am darauffolgenden Tag verzehrt, feierlich dargebracht worden sind, wird ein meist billiges, buntes Bild der beiden Gottheiten von der Wand genommen und vor dem Haupteingang des Hauses angezündet. Während es in Flammen aufgeht, rufen alle: „Gott des häuslichen Herdes, sprich nicht von unseren Fehlern! Sei nachsichtig!" Am zwanzigsten Tag des ersten Monats kehren der Gott und seine Frau zurück. Das Familienoberhaupt hat inzwischen ein neues Bild besorgt und an den Platz über dem Küchenherd gestellt. Die beiden Gottheiten werden wieder mit Speisen und Räucherstäbchen geehrt; sie beobachten nun erneut den Gang des häuslichen Lebens. Jeden Monat erteilen sie dem Gott der Mauern und der Festungsgräben Bericht. Im Haus gibt es noch andere weniger bedeutende Götter, wie z. B. die Wächter des Haupteingangs, einer pro Türflügel, der Herr und die Frau des Bettes, die für die Zeugung der Kinder zuständig sind, und sogar die Göttin der Latrine. Letztere ist Frau Chi oder auch Purpurdame genannt, eine Frau, die im 8. Jahrhundert während der Tang-Dynastie lebte. Nach einer Legende war sie die Lieblingskonkubine eines Präfekten der Provinz. In einem Anfall von Eifersucht erstach die Ehefrau dieses Präfekten eines Tages die Konkubine und warf sie in die Latrine. Der Herrscher der Jade erbarmte sich ihrer und erhob sie in den Stand der Schutzgöttin der häuslichen Latrine.

Jede Familie hat außerdem den Gott des Reichtums, Vorsitzenden des himmlischen Ministeriums der Finanzen, eine sehr wichtige Gottheit. Keiner würde es sich erlauben, ihm gegenüber eine Unhöflichkeit zu begehen und sein Bild nicht im Hause zu haben, um nicht die eigene Familie dem himmlischen Zorn auszusetzen. Dies würde den fortschreitenden Abstieg der Familie und schließlich in der dritten Generation das vollkommene Elend bedeuten. In den Kult des Gottes des Reichtums ist der Kult anderer Beamter seines Ministeriums einbezogen, wie der des Ehrbaren Himmlischen, der die Schätze entdeckt, des Unsterblichen der kommerziellen Verdienste und der Ehrbaren, der Geld besorgt.

Außerhalb des familiären Bereiches gibt es unzählige Schutzgötter der Künste und der Berufe. Die gelehrten Zivilbeamten haben ihren Gott des Schrifttums, einen Mann namens Chang Ya, der zur Zeit der Tang-Dynastie lebte. Er ist verantwortlich für das Ministerium der Riten. Zu Lebzeiten war er ein brillanter Schriftsteller und großer Gelehrter, der im Alter, ohne Spuren zu hinterlassen, verschwand. Es verbreitete sich sofort die Legende, er sei in den Himmel aufgenommen worden. Der Erhabene der Jade hatte ihn an seinen Hof geholt und ihm die Aufgabe anvertraut, die Titel und die Punktzahlen zu vermerken, die von den Teilnehmern an den kaiserlichen Examina erreicht wurden. Einer seiner Gehilfen ist Chung Kuei, ein Gelehrter, dem es gelungen war, bei den kaiserlichen Examina in der Hauptstadt als Bester abzuschneiden. Wie üblich wurde er vom Kaiser empfangen, der ihm eine besondere Auszeichnung hätte erteilen sollen. Die Legende berichtet, der Kaiser

Seiten 56–57: Die Terrasse des Pavillons der Fünf Pinien-Großoffiziere, zu der man über einen Pfad gelangt, den von der zum Gipfel führenden Treppe rechts abzweigt. Von hier aus sieht man die Südliche Himmelspforte und gleich daneben die Mittlere Himmelspforte. Hat man die beiden Tore durchschritten, fehlt nur noch wenig bis zum Gipfel. Dies ist der sogenannte mittlere Weg; an ihm liegen die meisten Tempel, und er bietet die eindruckvollsten Aussichten. Nur selten begeben sich Pilger auf den beiden anderen möglichen Wegen, dem westlichen und dem östlichen, auf den Gipfel.

sei über die Häßlichkeit des Chung Kuei dermaßen entsetzt gewesen, daß er sich weigerte, seine Verdienste anzuerkennen und das Examen für nichtig erklärte. Der verzweifelte Chung Kuei stürzte sich ins Meer, wo er ertrunken wäre, hätte ihn nicht ein Fisch auf den Rücken genommen und an Land zurückbefördert. Der unglückliche Gelehrte wurde vom Erhabenen der Jade sofort in den Himmel berufen und erhielt dort die Aufgabe, die kaiserlichen Examina bezüglich ihrer unparteiischen Durchführung zu kontrollieren. Dem strengen und unerbittlichen Chung Kuei steht ein anderer Gott zur Seite: der Gelehrte mit dem scharlachroten Gewand. Er ist der Schutzpatron der schlecht vorbereiteten Kandidaten. Sie wenden sich an ihn, und oft richtet er es so ein, daß sie durch einen Glücksfall das Examen bestehen. Der Gott wird als ehrwürdiger Alter mit einem schneeweißen Bart dargestellt.

Die Götter, die sich um die Menschen kümmern, sind so ungeheuer viele, daß man sie unmöglich alle aufzählen kann. Man bedenke, daß jeder Beruf seinen eigenen Schutzgott hat und daß dieser von Gegend zu Gegend oft unterschiedlich ist. Die Weber verehren den Gott der Spule; die Gärtner den Gott der blühenden Bäume und Sträucher; die Pinselhersteller einen General, der im 3. Jahrhundert v. Chr. lebte und nach der Legende den Pinsel erfunden habe; die Schuhmacher haben sich als Schutzherrn einen gewissen Sun Pin ausgewählt, der ebenfalls ein hoher Offizier war und der auf die Idee kam, sich Lederstiefel anfertigen zu lassen – er wollte auf diese Weise verbergen, daß ihm in der Schlacht die große Zehe abgeschlagen worden war, was vor den Feinden als Schande galt. Die Schneider feiern den Kult des mythischen Gelben Kaisers, der die Zeremoniengewänder erfunden haben soll; die Schauspieler verehren den General Yue Fei aus dem 12. Jahrhundert, der sich so stark für das Theater begeisterte, daß er darüber seine militärischen Pflichten vergaß; die Diebe wenden sich an den berühmten Banditen Sung Chiang aus dem 12. Jahrhundert, eine der Hauptpersonen des beliebtesten chinesischen Romans *Ufergeschichten,* bekannt auch unter dem Titel *Die Briganten;* die Prostituierten verehren Pa Chin-lian als Schutzheilige, eine junge, lustige Witwe, die von ihrem Schwiegervater getötet wurde, als dieser sie bei einem intimen Gespräch mit einem Mann überraschte. Außerdem müßten noch all jene Gottheiten aufgezählt werden, die für die Krankheiten und deren Heilung zuständig sind. Am Hofe des Erhabenen der Jade führen fünf Götter gemeinsam den Vorsitz des Ministeriums der Epidemien; jeder von ihnen hat eine der Himmelsrichtungen zu überwachen (auch die Mitte wird in China als Himmelsrichtung betrachtet). Ihnen sind weitere Götter unterstellt, wie z. B. die Göttin der Pocken, die mit dieser Krankheit die Kindermörder bestraft; ein Edelfräulein aus dem Gefolge der Prinzessin der bunten Wolken, der Tochter des Berges Tai, ist die schreckliche Göttin der schwarzen Pest. Es gibt weiter den Gott des Asthmas und sogar den des Furunkels, denn die Chinesen lassen nicht eine der Hunderte von Krankheiten aus, die den Menschen zur Last fallen können, und haben für jede einen „spezialisierten“ Heiligen.

Alle diese Gottheiten, berühmte Männer, die gelebt haben und aufgrund besonderer Verdienste in den Himmel aufgenommen wurden, oder andere Personen, um die sich unerklärlicherweise Legenden gebildet haben, sind Heilige der taoistischen oder der buddhistischen Religion. Die Volksreligion stellt sie alle in das bunt zusammengewürfelte Pantheon, das dem Erhabenen der Jade untergeordnet ist, und betrachtet sie als seine Beamten und Abgesandten, die ihm helfen, die Welt zu regieren. Alle diese Beamten sind nach einem hierarchischen System geordnet, das der pyramidenförmigen hierarchischen Ordnung der irdischen Staatsbeamten, der Mandarine, entspricht.

Es gibt außer allen diesen Göttern einen Gott, dem der Erhabene der Jade alle irdischen Angelegenheiten anvertraut hat, eine Art höchster Stellvertretender und hierarchisches Oberhaupt aller Götter der Verwaltungsgebiete, der Familien, der Künste und der Berufe: der Gott des Berges Tai, der Große Herrscher der Bergspitze des Ostens, der bedeutendste aller Götter, denn er ist zuständig für das Leben, er bestimmt über die Geburten und die Todesfälle. In den heiligen Tempeln des Berges Tai ist folgende Inschrift zu lesen: „Er bringt allen Wesen das Leben, er hat die Autorität über den Mechanismus des Lebens.“

Wie kam dieser Kult des Berges Tai zustande? Auch hier haben der Geist der Versöhnung und der Hang zum Synkretismus bewirkt, daß eine der heiligsten Stätten des archaischen China weiterhin ihre große Bedeutung beibehielt, indem alte Glaubens- und Gottesdienstformen oft unbekannten Ursprungs zu einem Ganzen vermengt und ständig durch neue Götter, neue Kulte oder „politische Erfindungen“, wie der Erhabene der Jade, belebt wurden.

Während der Frühzeit maß man dem Berg Tai keine höhere Bedeutung zu als anderen Bergen, Wäldern, Flüssen und Tälern, von denen man glaubte, sie seien fähig, Regen und Wind heraufzubeschwören oder andere Wunder zu bewirken. Jeder Lehnsherr erwies den Mächten seines Territoriums Vereh-

Die Brücke des Wolken-Passes. Sie führt über einen Wildbach, der bei Hochwasser etwas weiter unten einen Wasserfall bildet. Man trifft auf diese Brücke kurz nach der Terrasse des Pavillons der Fünf Pinien-Großoffiziere und kann von hier aus auf einen Pfad ausweichen, der am westlichen Hang des Berges entlangführt. Es handelt sich um einen sehr berühmten Weg, der reizvolle Ausblicke in die Landschaft freigibt und seit Jahrhunderten unter dem Namen Spazierweg des Höchsten Genusses bekannt ist.

rung, die in den heiligen Stätten, wie Flüssen, Bergen oder Wäldern, lokalisiert waren. Diese betrachtete man als die Zentren, aus denen der Lehnsherr, seine Vor- und Nachfahren, die Kraft bezogen, die sie ermächtigte, das Land zu regieren; sie waren eine Art veräußerlichtes Prinzip ihrer Autorität. Jede Störung der natürlichen Ordnung wurde als Schwächung der Macht des Feudalherrn angesehen, da man der Meinung war, jedes Feudalreich müsse die Unterstützung seiner Flüsse und Berge haben. Ein altes Sprichwort besagt: „Wenn die Berge einstürzen und die Flüsse austrocknen, ist dies ein Vorzeichen des Verderbens." Die Katastrophe konnte nur durch die Wiederherstellung der perfekten Harmonie zwischen dem Lehnsherrn und der heiligen Stätte vermieden werden. Dies geschah durch die Darbietung feierlicher Opfer. Die an den Ufern des Gelben Flusses lebenden Lehnsherren opferten dem Fluß jedes Jahr ein Mädchen aus adligem Geschlecht als Braut. Sie wurde auf einem als Hochzeitslager hergerichteten Floß der Strömung übergeben, von der sie verschlungen wurde.
Die vererbte heilige Stätte des Geschlechtes des legendären Königs T'ang aus der Yin-Dynastie war ein Maulbeerwald. Um Regen zu erflehen, opferte dieser König dieser heiligen Stätte seinen Leib: er schnitt sich Haare und Fingernägel ab und vergrub sie im Boden. Diese wenn auch nur symbolische Konsekration wurde als absolut verpflichtend betrachtet, denn sie besaß nur dann Gültigkeit, wenn sie mit vollkommener Hingabe erfolgte. Marcel Granet schreibt: „Die Flüsse und die Berge waren eng mit den Würdenträgern der feudalistischen Hierarchie verwandt und hatten einen Rang innerhalb dieser Hierarchie inne: ihnen wurden die Titel der Fürsten und der Grafen verliehen. Es gab Zeiten, da man glaubte, daß nach dem Beispiel der Lehnsherren, die ihre Investitur durch den Kaiser erhielten, jenen ihre Kraft vom Herrscher der Höhe übertragen werde ..."
Der Berg Tai wurde auf diese Weise eine direkt dem Herrscher der Höhe untergeordnete Gottheit, und es gibt Berichte darüber, wie er bereits zu Zeiten der Chou-Dynastie verehrt wurde, als er noch gleichgestellt war mit den anderen vier heiligen Bergen Chinas: die Bergspitze des Südens in der Provinz Hunan; die Bergspitze des Nordens in der Provinz Hopei; die Bergspitze des Westens in der Provinz Shensi; die Bergspitze der Mitte in der Provinz Honan. Der Berg Tai oder die Bergspitze des Ostens erlangte allerdings besondere Bedeutung: er ist der einzige heilige Berg Chinas, dessen Kult ununterbrochen die Jahrhunderte überdauerte, und er ist noch heute Ziel von Wallfahrten. Das ist wahrscheinlich auf die reiche Überlieferung von Legenden zurückzuführen sowie auf seine günstige Lage, oder auch auf die Tatsache, daß er nur wenige Kilometer von der Geburtsstadt des Konfuzius entfernt liegt, in der ihm und seinen berühmtesten Anhängern zahlreiche Tempel und Denkmäler geweiht sind.
Noch im 1. Jahrhundert v. Chr. war der Titel des Berges Tai der eines Herzogs, und er war rangmäßig den drei höchsten Staatsbeamten des kaiserlichen Hofes gleichgestellt. Im Jahre 725 n. Chr. wurde er vom Kaiser befördert und erhielt den Titel „Dem Himmel gleicher König"; im Jahre 1008 ließ der Kaiser Chen Tsung aus der Sung-Dynastie, der Erfinder des Erhabenen der Jade, auch dem Berg Tai seine Verehrung zuteil werden und verlieh ihm den Titel „Dem Himmel gleicher guter und heiliger König". Zwei Jahre später erfolgte eine weitere Beförderung. Der Berg Tai wird Kaiser, und der Titel, der ihm ebenfalls durch kaiserliches Dekret erteilt wird, lautet: „Dem Himmel gleicher Kaiser, gut und heilig". Im Jahre 1291 wird während der Herrschaft der mongolischen Yüan-Dynastie in China der Berg Tai durch eine weitere Beförderung „Dem Himmel gleicher Kaiser, großer Erzeuger des Lebens, gut und heilig". Im Jahre 1730 erklärte dann der Kaiser Tai Tzu der Ming-Dynastie, daß die dem Gott der Bergspitze des Ostens verliehenen Ehren unzureichend seien, um alle ihm zukommende Verehrung auszudrücken; der Respekt, den er einflöße, käme voll zum Ausdruck durch den Titel „Berg Tai, Bergspitze des Ostens".
Im Unterschied zum Olymp oder zum Berg Sinai, die als Wohnstätten der Götter oder Stätten betrachtet werden, an denen sich die Gottheit offenbart, ist der Berg Tai in der chinesischen Vorstellung selbst ein Gott, ein Gott der verschiedene Attribute in sich vereint und verschiedene Aufgaben übernimmt. Er beherrscht den Osten, der Ursprung des Lebens ist, da alle Wesen, ebenso wie die Sonne, ihre Existenz im Osten beginnen. Auf seinem Gipfel ist die Lebensenergie *Yang* am stärksten konzentriert. Wer Kinder wünscht, wendet sich daher an den Berg Tai, die „... unerschöpfliche Quelle aller Geburten". Aus diesem Glauben folgt logischerweise der Glaube, der in China bereits im 2. Jahrhundert verbreitet war, daß alle Seelen am Ende des Lebens zum Berg Tai, genauer zu dem südwestlich gelegenen Hügel Hao-li, zurückkehren, an dem sie in ihrer Geburtsstunde ihr zukünftiges Schicksal empfangen hatten.
Der Berg-Gott Tai oder Herrscher der Bergspitze des Ostens hatte die Aufgabe, die Lebensmechanismen zu regulieren. Dazu bediente er sich eines Heeres von Schreibern, die seine

雲步橋

Rechts: Bild eines taoistischen Unsterblichen in der nach Süden sich öffnenden Höhle. Hier machte der Kaiser Chien Lung im Jahre 1756 Rast und war so von dem Panorama, das sich seinen Augen darbot, fasziniert, daß er zu Ehren der Höhle und deren Unsterblichen Verse improvisierte.

Seiten 62–63: Zwei Pilger in der nach Süden sich öffnenden Höhle. Einem alten Ritus entsprechend, verbrennen sie symbolisch „Papiergeld", das für die Verstorbenen bestimmt ist. Der Berg Tai wurde als Quelle des Lebens betrachtet, war aber auch zuständig für die Unterwelt. Man glaubte, daß die Seelen aller Lebewesen, die ihr Leben vom Berg Tai empfangen hatten, nach Beendigung ihres Lebens hierher zurückkehrten.

riesigen Archive ordneten und auf dem letzten Stand hielten. Denn man glaubte, alles, was das Leben auf der Erde betreffe, unterliege seiner Gerichtsbarkeit. Dies bezog sich nicht nur auf Geburten und Todesfälle, sondern auch auf das Schicksal, die Freuden, die Ehren und die Nachkommenschaft. Eine Inschrift aus dem 13. Jahrhundert zählt fünfundsiebzig Ämter auf, in denen seine Verwalter die Angelegenheiten dieser Welt verwalteten – nicht nur die der Menschen, sondern auch die der Tiere, denn seit dem 8. Jahrhundert hatte sich in China der buddhistische Glaube von der Seelenwanderung durchgesetzt. Die Wiedergeburt als Tier war eine der Strafen, die der Berg-Gott Tai jenen erteilte, die er verstieß. Hätte er über die Geburten und Todesfälle der Tiere nicht genau Buch geführt, hätte er den Lauf einer jeden Seele durch ihre aufeinanderfolgenden Existenzen nicht verfolgen können. So gab es, abgesehen von den beiden Ämtern, in denen die menschlichen Geburten und Todesfälle verzeichnet würden, drei weitere Ämter, die für die Geburten der Tiere – jeweils für die Vierfüßler, für die aus einem Ei geborenen und die, die eine Metamorphose durchmachten – zuständig waren. In anderen Ämtern verzeichneten zahlreiche Beamte die guten und schlechten Taten aller Lebewesen; es gab Ämter, die einzig und allein beauftragt waren, die Laufbahn der menschlichen Beamten zu verfolgen und deren Verdienste und Vergehen zu verzeichnen; andere beschäftigten sich mit den göttlichen Beamten, mit den Göttern der Mauern und der Festungsgräben, mit den Gottheiten des Bodens, mit den örtlichen Schutzpatronen und den Patronen der Berufe. Für diese riesige Arbeit holte sich der Berg Tai die Seelen der Toten zu Hilfe und, wie man glaubte, oft auch die der Lebenden. So gab es etwa im 7. Jahrhundert einen gewissen Shen Hsien-chao, der eine Teilzeitbeschäftigung im Jenseits ausübte. Jeden Monat verschwand er für zwei oder drei Tage aus seinem Haus und ging ins Reich der Toten, um als Sekretär im Registeramt zu arbeiten. Da er dort viele übernatürliche Ereignisse erfuhr, vergnügte er sich nach seiner Rückkehr damit, Voraussagen zu machen, die, wie die Legende berichtet, immer eintrafen. Die Trennwand zwischen der diesseitigen und der jenseitigen Welt war in der chinesischen Vorstellung immer sehr durchlässig.

Der Berg-Gott Tai ist jedoch nicht direkt zuständig für die Unterwelt oder den Ort, an dem die Seelen, die gesündigt haben, gefangengehalten werden, bis eine neue Inkarnation erfolgt. Der Glaube, die Seelen der Verstorbenen würden in der Nähe des Berges Tai eingesperrt, liegt zeitlich vor der systematischen Erfassung der unterirdischen Welt, die, wie bei Dante, in Höllenkreise eingeteilt ist. Im Volksglauben wurde sie dann den buddhistischen Vorstellungen angepaßt. Der Gott, der dem siebenten Höllenkreis vorsteht, in dem die Grabschänder und Menschenfleischesser in Kessel mit heißem Öl geworfen werden, trägt noch immer den Namen des Berg-Gottes Tai, d.h. des Herrschers der Bergspitze des Ostens. Im allgemein verbreiteten Glauben handelt es sich aber um zwei völlig verschiedene Gottheiten, und der Berg-Gott Tai wird im wesentlichen als „Herr des Lebens" und nicht des Todes verehrt.

Wer heute den Gipfel des Berges Tai besteigt, entdeckt an jedem Rastplatz einen Ausblick von unvergleichlicher Schönheit, und es wird ihm bewußt, daß dieser Ort wirklich alles umfaßt, was der religiöse Geist Chinas hervorgebracht hat. Konfuzianische, taoistische und buddhistische Weise werden alle gleichermaßen verehrt, alle haben ihre Stelen oder Tempel hier. Damit wird der Aufstieg zu einer Wallfahrt zur heiligen Stätte des archaischen China schlechthin. Es ist aber auch eine ehrfurchtsvolle Wiederbegegnung mit den drei großen Religionen, die sich gegenseitig toleriert und vermischt haben. Dies führte zu einer Gesamtkonzeption, die – befreit von Aberglauben und phantastischen Legenden – das aufweist, was wahrscheinlich die eigentliche Besonderheit der chinesischen Auffassung von den heiligen Dingen ist: sie begünstigt den geheimnisvollen Moment der innigen gegenseitigen Durchdringung von Mensch und Natur. Es heißt in China, keine spirituelle Erfahrung sei vergleichbar mit dem Erleben des Sonnenaufganges auf dem Gipfel des Berges Tai. Nachdem der Pilger sich geläutert hat durch den Aufstieg, nachdem er in den über dreihundert am Weg liegenden Tempeln und Pavillons über die Natur der Dinge meditiert hat, kann er die Nacht in dem Gästehaus auf dem Berggipfel verbringen und am darauffolgenden Morgen den Sonnenaufgang vom „Felsen, der zum Meer hinausragt", beobachten. Noch an vielen anderen Stellen kann der Blick über die zauberhafte Landschaften schweifen, man gewinnt fast den Eindruck, die Landschaft selbst erhebe sich zu göttlicher Würde, denn ihr sind Tempel, Pavillons und Inschriften in Versform gewidmet, die sie selbst wie einen Gegenstand kultischer Verehrung verherrlichen. Alle diese Empfindungen sind in der großen chinesischen Malerei der Vergangenheit verewigt, die in diesem Sinne durchdrungen ist von tiefer Heiligkeit.

Am Fuße des Berges liegt ein großer Tempel, der dem Gott geweiht ist, zu dem man sich begibt, wenn man den Bogen der Bergspitze des Ostens durchschreitet; in der Umfassungs-

Rechts: Jugendliche des neuen China, eher Ausflügler als Pilger, steigen die letzten Stufen der Treppe hinan, die zum Gipfel führt.

Seiten 66–67: Ein Sonnenuntergang, wie man ihn von der Mittleren Himmelspforte aus bewundern kann. Die von einem trockenen Positivismus geprägte gebildete Schicht der Chinesen erlaubte sich Ausbrüche ins Mystische nur angesichts der Schönheit einer Naturlandschaft. Man kann sogar behaupten, daß in China die Landschaft selbst zur Gottheit erhoben wird, denn bei ihrer Betrachtung wird eine Art mystische Vereinigung zwischen der Welt des Menschen und der Natur, zwischen dem Mikrokosmos und dem Makrokosmos, verwirklicht, die beide Teil des gleichen Prinzips einer universalen Ordnung sind.

mauer des Komplexes öffnen sich drei Tore: das Tor, das nach Süden schaut, das Tor, durch das die Größe zu erkennen ist, und das Tor, durch das die Höhe zu bewundern ist. Im ersten Hof befinden sich zahlreiche Steinstelen; die älteste von ihnen ist die „des Westens“, auf der das vom Kaiser Chen Tsung der Sung-Dynastie erlassene Dekret eingemeißelt ist, mit dem dieser den Rang des Berg-Gottes Tai (oder Bergspitze des Ostens) erhöhte und ihn zum „Dem Himmel gleichen Kaiser, gut und heilig“ ernannte.

Im ersten Hof stehen drei Gebäude; das mittlere ist der Tempel „Dessen, der mit dem Himmel verbunden ist“, eine weitere Ehrenbezeichnung des Berges Tai, dem die Aufgabe zukam, dem Erhabenen der Jade bei der Regierung der Welt zu helfen. Von den beiden seitlichen Tempeln ist einer den Drei göttlichen Marquisen geweiht, drei weitere Würdenträger der alten Chou-Dynastie. Sie erschienen im Jahre 1008 dem Kaiser Chen Tsung und baten darum, man möge einen Tempel errichten, der ihrem Kult und ihrem Gedächtnis geweiht sei; der andere Tempel ist den Militärvertretern des Kaiserreiches gewidmet und heißt daher Saal des Kriegskommandos. Vom ersten Hof gelangt man in den zweiten, weitläufigeren Hof; auch hier stehen Steinstelen mit alten Inschriften, die sich strahlend weiß gegen das grüne Laub der jahrhundertealten Lebensbäume abheben.

Drei stufenförmige Terrassen führen zum eigentlichen Tempel, genannt Tempel der Himmlischen Gabe. Das Bauwerk stammt aus dem 1. Jahrhundert n. Chr. und wurde verschiedene Male restauriert. In einer großen Nische thront der Berg-Gott Tai, bekleidet mit einer Tunika aus gelbem Stoff, der kaiserlichen Farbe; in den Händen hält er eine längliche Tafel, Zeichen seiner Autorität. An den Wänden des Tempels zeigt ein Freskogemälde die Reise des Kaisers Chen Tsung zum Berg Tai. Der lange Zug beginnt an der rechts von der Nische gelegenen Wand (man sieht den Kaiser, der, auf einem gelben Sessel eines Wagens sitzend, seinen Palast verläßt) und endet an der linken Wand. Auch wenn das Gemälde im Laufe der Zeit gelitten hat, ist es dennoch ein wundervolles Werk, reich an Einzelheiten; außerdem ist es ein wertvolles künstlerisches und historisches Dokument.

In einem nördlich vom Haupthof gelegenen kleinen Hof befindet sich der Tempel des Schlafzimmers; er ist der Frau des Berg-Gottes Tai geweiht; sie ist eine jüngere Göttin, die das erstemal erwähnt wird, als anläßlich der Beförderung des Gottes vom König zum Kaiser seiner Frau der Titel „Intelligente und Vollkommene Kaiserin“ verliehen wird.

In den Nebenhöfen sind weitere kleinere Tempel anderen Mitgliedern der Familie des Gottes geweiht oder auch taoistischen Heiligen, wie dem ehrlichen Mann Yan Hsi, einem unsterblichen Weisen, der in einer Berghöhle lebte. Besonders reizvoll ist der kleine Hof des Pavillons; in die Mauer, die den Hof umschließt, sind zahlreiche Steine eingelegt, auf denen Verse berühmter Dichter der verschiedenen Dynastien geschrieben stehen. Sie sind alle der Schönheit des Berges Tai gewidmet, sowie den Gedanken und Empfindungen beim Aufstieg zum Berggipfel.

Ungefähr einen Kilometer vom Tempel entfernt, beginnt bei dem 1730 errichteten Steinbogen die Treppe zum Gipfel. Die obligatorischen Abweichungen vom Weg sind sehr zahlreich. Die erste ist der Tempel des Lao Tzu mit einer Statue des Weisen, dessen Schrift *Tao Teh Ching*, das klassische Werk des Weges und der Tugend, die Grundlage der taoistischen Philosophie und Religion ist. Die Legende berichtet, daß Lao Tzu der Welt überdrüssig war und auf dem Rücken eines Büffels gen Westen ritt, um einen ruhigen Ort zu suchen, an dem er ausruhen konnte. An der Grenze traf er zwei Wachen, die ihn baten, seine Gedanken zu offenbaren, bevor er in unbekannte Länder verschwände. Lao Tzu diktierte ihnen den Text, der als die Summe seiner Gedanken in die Geschichte eingegangen ist. Die Statuen neben Lao Tzu stellen wahrscheinlich die Grenzwächter dar. Im Garten des Tempels befinden sich die Stelen der Mandarinen-Enten, auf denen Gedichte und Widmungen taoistischen Inhalts aus dem 7. Jahrhundert n. Chr. eingemeißelt sind. Nicht weit davon entfernt wird eine weibliche Gottheit der alten chinesischen Religion, die Königin-Mutter des Westens, verehrt, die das Kraut der Unsterblichkeit besitzt. Neben ihrem Tempel befindet sich der Lu Tung-pin geweihte Tempel. Lu wurde 775 als Sohn eines hohen kaiserlichen Beamten geboren. Als er mit zwanzig Jahren die traditionellen klassischen Studien beendet hatte, machte er sich auf die Reise, um Abenteuer zu suchen. Auf dem Gipfel des Berges Kiangsi begegnete er dem Feuerdrachen, der ihm ein Wunderschwert schenkte. Es besaß die Kraft, den unsichtbar zu machen, der das Schwert trug. Lu kehrte in die kaiserliche Hauptstadt Chang-an zurück und lernte dort den taoistischen Weisen Han Chung-lin kennen, der ihn in die Geheimnisse der Alchimie einführte und ihm die Formel des Lebenselixiers mitteilte. Auf diese Weise mit außergewöhnlichen Wunderkräften ausgestattet, durchzog Lu vierhundert Jahre lang das Land nach allen Richtungen; er tötete böse Drachen und half all jenen, die Schwierigkeiten hatten. Im Jahre 1115

wurde er durch kaiserliches Dekret unter die Unsterblichen aufgenommen und als Held der wunderbaren Weisheit verehrt. In dem ihm geweihten Tempel ist er so dargestellt, wie es die Überlieferung verlangt: er hält in der einen Hand das Schwert, genannt „Schwert, das die Geister des Bösen tötet", und in der anderen Hand eine Art Fliegenwedel, genannt „Besen für die Wolken", ein symbolisches Gerät der taoistischen Heiligen, das auf ihre magische Fähigkeit hinweist, in den Wolken zu fliegen und sich nach Belieben im Äther fortzubewegen. Nach der Legende beherrschte Lu Tung-pin auch die Kunst der Dichtung, weshalb er von den konfuzianischen Gelehrten verehrt wird. Unter dem Namen des Patriarchen Lu wurde er auch als Schutzheiliger der Tintenhersteller verehrt. In der Nähe seines Tempels liegt die Höhle, in der er gelebt haben soll, und ein wenig weiter liegt die Höhle des Drachen ohne Hörner, der unsterblich wurde. In der Legende heißt es, daß dieser Drache Freude daran fand, die Gedichte zu lesen, die der weise Lu schrieb. Als Anerkennung berührte ihn Lu eines Tages mit dem Pinsel an der Stirn, worauf dem Drachen sofort Hörner und Flügel wuchsen. Er konnte sich nun dem Heer der anderen Drachen anschließen.

Auf der anderen Seite des Weges zum Gipfel befindet sich der Tempel, der dem Kriegsgott Kuan Yu geweiht ist. Auch bei ihm handelt es sich um eine vergöttlichte historische Persönlichkeit. Kuan Yu lebte während der Zeit der Drei Reiche, die auf den Verfall der Han-Dynastie im Jahre 185 n. Chr. folgten. Er bewahrte dem Erben der gefallenen Dynastie die Treue und lieferte den Usurpatoren zahlreiche Schlachten, bis er schließlich gefangengenommen und vom General Sun Chuan hingerichtet wurde. Er wurde jahrhundertelang als der größte Krieger verehrt und erhielt 1423 vom Kaiser den Titel „Pfeiler des Himmels und Beschützer des Reiches". Von nun an war er eine Gottheit, und in ganz China wurden ihm zu Ehren Tempel errichtet. Er ist Schutzpatron der Soldaten und auch der Vereinigung der Sojahändler, da er diesen Beruf ausübte, bevor er sich der Kriegskunst widmete.

Nachdem man das Steintor, genannt Erstes Himmelstor, durchschritten hat, wird der Aufstieg steiler. Auf das Tor folgt ein Portikus mit einer Inschrift aus fünf Schriftzeichen. Sie lautet: „Von hier aus stieg Konfuzius auf den Gipfel." Wahrscheinlich ist dies die Stelle, an der, wie die Überlieferung berichtet, Konfuzius gesagt hat, daß ihm das Land Lu so klein erscheine. Auf dem Gipfel angelangt, sagte er hingegen, daß ihm die ganze Welt, von dieser gewaltigen Höhe aus betrachtet, gering erscheine. Gleich danach kommt ein weiterer Portikus mit zwei Schriftzeichen, die „Himmlische Treppe" bedeuten. Links erhebt sich ein Gebäude, in dem die Würdenträger des kaiserlichen Hofes ihr Gewand wechselten, bevor sie den Aufstieg begannen. Rechts davon liegt der Palast der Roten Tore. Er ist der Prinzessin der bunten Wolken geweiht. Der Kult dieser Göttin, der Tochter des Berges Tai, ist in ganz China verbreitet. Sie ist die Beschützerin der Frauen und Kinder, sie wird auch Heilige Mutter genannt und ist die göttliche Helferin der Gebärenden. In der volkstümlichen Ikonographie wird sie mit einer eigenartigen Haartracht dargestellt: über dem Kopf befinden sich drei Vögel mit ausgebreiteten Flügeln, zwei an den Seiten und einer in der Mitte. Die Prinzessin ist stets in Begleitung zweier Damen: der Frau des guten Augenlichtes, die ein riesiges Auge in der Hand hält und die Kinder vor Augenkrankheiten schützt, und der kinderbringenden Frau, die einen Säugling im Arm hält. Zu ihrem Gefolge gehören weitere sechs Göttinnen, die für die verschiedenen Phasen der Empfängnis, der Schwangerschaft, des Stillens und des Abstillens zuständig sind. Gemeinsam mit der Göttin buddhistischen Ursprungs, die ebenfalls als „die Frau, die Kinder bringt", verehrt wird, wurde Kuan-yin jahrhundertelang von den chinesischen Frauen angerufen, die sich ein Kind wünschten. Die Zeremonien und Gebete waren von Gegend zu Gegend unterschiedlich, schlossen aber alle mit der Anrufung: „Habe Mitleid mit uns Unglücklichen ohne Worte!" Es gibt in ganz China Tempel, die der Prinzessin geweiht sind – der berühmteste ist jedoch der auf dem Gipfel des Berges Tai.

Nicht weit hinter dem Palast der Roten Tore liegt das Grab der weißen Mauleselin. Es heißt, daß im Jahre 726 hier eine Mauleselin mit schneeweißem Fell begraben wurde, die den Kaiser Hsuan Tsung aus der T'ang-Dynastie bis zum Gipfel und wieder zu Tal getragen hatte. Genau an der Stelle, wo sich ihr Steingrab befindet, soll sie zusammengebrochen und verendet sein. Der Kaiser verlieh ihr aus Dankbarkeit den Titel eines Generals und ließ ihr ein feierliches Begräbnis zuteil werden. Etwas weiter oben liegen rechts zwei weitere Tempel: der der Göttin des Sternbildes des Großen Bären, die auf einem Freskogemälde an der Spitze eines Zuges von weiteren vierzig Sterngottheiten dargestellt ist, und der der zehntausend Unsterblichen. Steigt man den Berg weiter hinauf, sieht man rechts einen Felsen von bizarrer Form, der „Felsen, auf dem die Pferde ausruhen" genannt. Weiter oben steht auf dem Giebel eines Steinportikus die Inschrift: „Ort, an dem die Pferde zurückgelassen werden". Hier hatte der Kaiser Cheng Tsung

*Seite 70–71: Das Tal des Stein-*Sutra, *zu dem man über einen von der Treppe zum Gipfel abweichenden Pfad gelangt. Auf einer großen Felsplatte ist der Text des heiligen buddhistischen Buches* Sutra des Diamanten *eingemeißelt. Das Werk entstand auf Anregung eines Kaisers der Dynastie der Nördlichen Chi im Jahre 576. Während der Zeit der Drei Reiche und der Sechs Dynastien (220–581), als China in zahlreiche, oft von Herrschern barbarischer Herkunft regierte unabhängige Staaten zerstückelt war, fielen die fremden kulturellen Einflüsse auf fruchtbaren Boden. Der Buddhismus fand gerade während dieser Zeit in allen Bevölkerungsschichten Aufnahme, und es gelang ihm fast, sich als alleiniger religiöser Glaube durchzusetzen.*

vom Pferd absteigen und den Aufstieg in einer Sänfte fortsetzen müssen. Etwas weiter oben gelangt man zur Zweiten Himmelspforte, die genau auf der Hälfte des Weges vom Fuß bis zum Gipfel des Berges liegt. Kurvenreiche Pfade führen in der Umgebung zu zahlreichen Tempeln und Pavillons; der berühmteste unter ihnen ist der Tempel, der dem „Gott, der das Glück vermehrt" geweiht ist, eine der Gottheiten, die dem Hof des Berges Tai angehörte. Von diesem Tempel geht ein Weg ab, der am westlichen Hang des Berges entlangführt; er eröffnet reizvolle Ausblicke in die Landschaft und heißt daher „Spazierweg des höchsten Genusses".

Der Weg führt weiter über die Brücke des Wolkenpasses. Sie führt über einen Sturzbach, der etwas weiter unten einen Wasserfall bildet. Nach einem großen Felsen, genannt „Felsen, der angeflogen kam", erreicht man den Pavillon der Fünf Pinien. Eine Inschrift auf der Vorderseite eines Steinbogens weist darauf hin, daß sich hier die Pinien befinden, die durch ein kaiserliches Dekret die Titel Großoffiziere erhielten; dies geht zumindest aus der volkstümlichen Überlieferung hervor. Der Historiker Ssu-ma Chien berichtet dagegen, daß der Kaiser Chin Shih Huang Ti, der Tyrann, der als erster China vereinigte, im Jahre 219 v. Chr. eine Wallfahrt auf den Berg Tai unternahm. Als er von einem heftigen Gewitter überrascht wurde, fand er hier unter einer Pinie Schutz. Als Dank dafür ernannte er den Baum zum „Großoffizier des Fünften Grades". Demnach wäre dies nicht der Pavillon der Fünf Pinien, sondern der Pavillon des Großoffiziers des Fünften Grades.

Etwas weiter oben liegt links ein weiteres Heiligtum, das dem Kult der Prinzessin der bunten Wolken geweiht ist und „Saal der Prinzessin" heißt. Daneben öffnet sich die nach Süden gerichtete Höhle. Hier hielt sich der Kaiser Chien Lung im Jahre 1758 auf. Er war so begeistert von dem Panorama, das sich vor seinen Augen auftat, daß er diese Schönheit in Versen verewigte. Auf dem Felsen auf der anderen Seite des Weges sind zwei seiner Gedichte in riesigen, ca. einen Meter großen Schriftzeichen eingemeißelt. Der Felsen heißt daher „Stele der hunderttausend Füße".

Nach einer scharfen Kurve liegt plötzlich das Ziel, die Himmelspforte des Südens, vor einem, durch die man zum Gipfel gelangt. Von hier aus wird der Weg steiler, wie eine Inschrift auf einem Steintor, dem „Tor zur Erreichung der Unsterblichkeit" verkündet. Die Treppe führt zwischen zwei Steinwänden steil nach oben, und früher wurden von hier an die alten Pilger und die Frauen in Sänften getragen. Etwa auf halber Höhe ist die Höhle der weißen Wolken zu erkennen. Sie wird in den *Annalen Frühjahr-Herbst,* einer Schrift aus der Zeit des Konfuzius, folgendermaßen beschrieben: „Hier treten die Wolken heraus und stoßen gegen die Felswand, sie stauen sich in der Zeit eines Wimpernschlages oder eines Fingerzeiges zusammen. In weniger als zwei Morgen ergießen sie Regen über das ganze Reich." Die Himmelspforte des Südens führt hinaus auf den Platz des Gipfels, der umgeben ist von Felsen, die alle einen eigenen Namen führen; dieser ist entweder eine poetische Beschreibung oder leitet sich ab von Anekdoten, Mythen oder aus der Geschichte. Berühmt ist die Bergspitze, von der aus man das Land Wu sieht. Zur Zeit des Konfuzius war Wu der Name eines Landes, das viertausend Kilometer vom Berg Tai entfernt in der heutigen Provinz Kiangsu lag.

In dem Buch *Lun Heng,* einer Schrift aus dem 1. Jahrhundert n. Chr., wird berichtet, daß Konfuzius mit seinem Anhänger Yen Yuan diesen Felsen gemeinsam bestiegen hatte. Als Konfuzius in südöstliche Richtung blickte, erkannte er ein weißes Pferd, das am Haupttor der Hauptstadt des Reiches Wu angebunden war. Der Meister rief Yen Yuan zu sich und fragte ihn: „Siehst du das Tor in den Mauern der Hauptstadt von Wu?" „Ich sehe es", antwortete dieser. „Und was siehst du neben dem Tor?" „Etwas, das mir wie ein Tuch aus weißer Seide erscheint", antwortete Yen Yuan. Da strich ihm der Meister mit der Hand über die Augen, damit er genauer sähe, und nun konnte Yen Yuan deutlich ein Pferd erkennen. Sie stiegen wieder hinab, und als sie am Fuße des Berges angelangt waren, hatte Yen Yuan weiße Haare und nicht einen Zahn mehr im Mund. Er starb wenige Stunden später, weil die Anstrengung, die er auf sich genommen hatte, für ihn zu groß war. Noch heute heißt es in China, wenn von einer harten, unmöglichen Unternehmung die Rede ist: „Willst du vielleicht das Land Wu vom Berg Tai aus sehen?"

Der obere Teil der Himmelspforte des Südens heißt „Pavillon, der den Himmel berührt". Nach dem Tor links liegt ein im 16. Jahrhundert Konfuzius zu Ehren errichteter Tempel. Damals überredeten die Gelehrten-Beamten den Kaiser, auf dem Berg Tai für das Volk eine Stätte des Kultes für den großen Weisen und Meister errichten zu lassen, damit der Berg durch die Vielzahl der den Göttern der Volksreligion geweihten Tempel nicht völlig an Bedeutung verliere. Das Hauptheiligtum des Berges Tai ist das der Prinzessin der bunten Wolken. Seit Jahrhunderten Ziel von Wallfahrten und Mittelpunkt tiefer Verehrung des Volkes, wird das Heiligtum über eine gepflasterte Straße und einige Treppen erreicht. Es ist von großen Mauern umgeben und besteht aus verschiedenen Ge-

Ausschnitt aus dem in den Felsen gemeißelten Sutra des Diamanten. *Im 15. Jahrhundert wurde die konfuzianische Orthodoxie durch die auf den Thron gelangte Ming-Dynastie begünstigt. Sie stand allen ausländischen Einflüssen feindlich gegenüber, insbesondere aber dem Buddhismus, der nicht den Prinzipien der überlieferten Moral entsprach. Aus dieser Zeit stammt der Absatz aus der konfuzianischen Abhandlung* Das rechte Mittel, *das ein unbekannter Gelehrter neben diesen buddhistischen Text in den Stein meißelte.*

bäuden sowie zwei Höfen, einem unteren und einem oberen. Hier befinden sich die drei Tempel, in denen der Kult der Prinzessin und der sie begleitenden Gottheiten gefeiert wurde. Die Dächer der Tempel sind alle mit Eisenziegeln bedeckt, die besser als die üblichen glasierten Tonziegel den stürmischen Winden auf dem Berggipfel standhalten. Im Haupttempel stand eine riesige Holzstatue der Göttin, vor der die Pilger ihre Gaben niederlegten. Die Statue wurde bei einer Feuersbrunst, die 1740 den Haupttempel und alle anderen aus der Zeit der Sung-Dynastie stammenden Gebäude verwüstete, zerstört. Die Tempel wurden später neu errichtet, jedoch ohne daß eine Nachbildung der Statue der Prinzessin der bunten Wolken geschaffen worden wäre.

Nach Verlassen der Tempelanlage gelangt man zum Gipfel, genannt „Säule des Himmels". Ein achteckiger Zaun umfaßt den höchsten Punkt des Berges. Hier steht ein Tempel, der dem Erhabenen der Jade geweiht ist und in dem sich eine vergoldete Statue der obersten Gottheit befindet. Sie trägt kaiserliche Gewänder und dazu eine rechteckige Kopfbedeckung, von der bunte Perlenketten herabhängen, die zum Teil auch das Gesicht des Erhabenen bedecken. Auf einer Tafel ist zu lesen: „Bild des großen Gottes, Herrscher der Jade, Kaiser der Höhe". Vor dem Tempeleingang steht eine 5 m hohe Steinstele mit Kapitell, genannt „Stele ohne Inschrift". Nach der Überlieferung wurde sie 219 v. Chr. vom ersten Kaiser Chin errichtet, die darauf eingemeißelten Schriftzeichen wurden im Laufe der Zeit durch die Wettereinflüsse ausgelöscht.

Kurz unterhalb des Gipfels befindet sich an einer Felswand eine lange Inschrift, die vom Kaiser Hsuan Tsung der T'ang-Dynastie verfaßt und geschrieben wurde. Dies geschah im Jahre 726, als der Kaiser auf dem Gipfel des Berges Tai das *Feng*-Opfer feierte. Höhepunkt des Opfers war eine Zeremonie, bei der dem Berg-Gott Tai eine Botschaft an den Himmel übergeben wurde. In dieser Botschaft wurde der Dank für die Wohltaten ausgesprochen, die der Himmel sich herabgelassen hatte der regierenden Dynastie zu erweisen. Der Kaiser Hsuan Tsung hat die großen Schriftzeichen eigenhändig in die 9 m hohe und 5 m breite Felsplatte eingemeißelt. Der Text lautet: „Ich habe vor vierzehn Jahren die kaiserliche Würde erlangt. Ich fürchte dennoch, daß es mir an höchster Tugend mangelt, und ich verfüge nicht über die vollkommene Vernunft. Das Amt, das ich ausübe, ist schwer auszuüben, die Ruhe, die ich bewahren muß, ist schwer zu bewahren. Jetzt weiß ich nicht, ob ich je die Götter oder das Volk in irgendeiner Weise beleidigt habe, und mein Herz schwankt zwischen den Wellen, als würde es einen großen Fluß überqueren. Mit Hilfe des Schutzes, den der Herrscher der Höhe mir angedeihen ließ, und mit Hilfe der Reichtümer, den die mir vorausgegangenen Herrscher angesammelt haben, vereinen meine Minister und Beamten in Übereinstimmung ihre Bemühungen, damit die kaiserliche Perfektion erreicht werde ..." Die lange Inschrift endet mit einem Gedicht zu Ehren des Berges Tai, der aufgefordert wird, den Text der kaiserlichen Botschaft der Vielzahl der Bergspitzen zu verkünden.

In der Nähe der in den Felsen gehauenen Stele steht eine weitere Stele, auf der zu lesen ist: „Dies ist die Stelle, an der Konfuzius erkannte, wie klein die Welt sei." Im *Buch von Mencio,* einer Schrift der konfuzianischen Schule, heißt es: „Als Konfuzius den Gipfel des Berges Tai erreichte, fand er die Welt klein. Gleichermaßen gelingt es dem, der das Meer betrachtet hat, nicht, die anderen Gewässer zu schätzen, und dem, der in der Nähe eines Weisen war, gelingt es nicht, den Worten der gewöhnlichen Menschen große Bedeutung beizumessen." Zum Schluß erreicht man die Spitze, genannt „Gipfel der Kontemplation der Sonne" oder „Felsen, der aufs Meer hinausragt", der nur wenige Meter niedriger ist als der Gipfel der „Säule des Himmels". Von hier aus schweift der Blick über das sich nach Nordosten erstreckende Tal, und an dieser Stelle feierten die Kaiser mit den ersten Sonnenstrahlen den Schlußritus des *Feng*-Opfers. Sie legten auf die nackte Erde ein Jadetäfelchen mit der feierlichen Dankesbotschaft, die der Berg-Gott Tai dem Himmel zu übermitteln hatte.

Links: der Steinblock über der Felswand im Tal des Stein-Sutra, *auf dem in großen Schriftzeichen „Grundlegende Wahrheit" (Wahrheitsgemäßer Klassiker) in den Stein gemeißelt ist.*
Das Sutra des Diamanten *wurde im 8. Jahrhundert während der Herrschaft der T'ang-Dynastie dem Berg Tai gewidmet, wie in den vier großen Schriftzügen zum Ausdruck kommt, die auf den folgenden Seiten zu sehen sind. Auf diese Weise wurde die bereits im archaischen China verehrte Gottheit mit einem aus einem fremden Land eingeführten Glauben in Verbindung gebracht; es gibt kaum ein besseres Beispiel für den synkretistischen Geist und die Toleranz, die stets charakteristisch waren für die chinesische Auffassung von der Heiligkeit.*

Seiten 78–79: Eine Pilgergruppe macht auf der Terrasse der Mittleren Himmelspforte vor dem letzten Aufstieg zum Gipfel Rast. Ein Besuch auf dem Berg Tai bedeutet ein Zusammentreffen mit den drei großen Religionen Taoismus, Buddhismus und Konfuzianismus.

孝之余小子敢嘗
天與知我朕維實
石辟刻金記後之
維天生人立君以
高祖明明
誕九寓對平一鼓
歸仁恭己南面亂
天福我万姓古封

紀泰山銘
天之眷命爲蒼生
余多孫克享

Links: Große, in den Stein gehauene Schriftzeichen erinnern an den Besuch des Kaisers Chien Lung auf dem Gipfel; er machte an dieser Stelle Rast, bevor er die weit oben am Ende der Treppe zu erkennende Mittlere Himmelspforte durchschritt.
Rechts: Zwei Pilgerinnen verneigen sich ehrfurchtsvoll vor der Statue der Prinzessin der bunten Wolken, der Tochter des Berges Tai. Dieser Göttin sind auf dem Weg zum Gipfel zahlreiche Tempel und Kapellen geweiht.

Seiten 82–83: Das Hauptheiligtum des heiligen Berges ist ebenfalls der Prinzessin der bunten Wolken geweiht. Der Tempel auf der Bergspitze ist ein aus der Zeit der Sung-Dynastie stammender Gebäudekomplex. Während der Kaiserzeit war dieser Göttin ein offizieller Kult geweiht: von 1754 bis 1911, dem Jahr der Proklamation der Republik, begab sich jedes Jahr am achtzehnten Tag des vierten Monats ein kaiserlicher Bote mit prachtvollen Gaben zum Heiligtum der vom ganzen Volk verehrten Göttin.

Seite 84: Oberteil einer Statue der Prinzessin der bunten Wolken. Im Haupttempel der Göttin befand sich einstmals eine riesige Holzstatue, die im Jahre 1740 einem Brand zum Opfer fiel, der die gesamte Tempelanlage zerstörte. Die Originalstatue stellte die Göttin mit ihrer typischen, eigenwilligen Kopfbedeckung dar, bestehend aus drei Vögeln mit ausgebreiteten Flügeln, zwei an den Schläfen und einer über dem Kopf.

Seite 85: Eine alte Pilgerin begibt sich in den unteren Hof des Heiligtums der Prinzessin der bunten Wolken, das von dicken Mauern umgeben ist.

Rechts: Zwei Pilgerinnen machen bei einer Tasse Tee Rast in einem Pavillon des Tempels, der den Sterngottheiten geweiht ist, des Tempels der Göttin des Großen Bären. Neben diesem Tempel liegt ein altes Kloster, das taoistische Nonnen aufnahm.

Rechts: Der obere Hof des Tempels der Prinzessin der bunten Wolken. Das linke Gebäude diente früher Theatervorstellungen. Das viereckige rechte Gebäude mit dem doppelten geschwungenen Dach ist mit Eisenziegeln bedeckt, die den Stürmen, die im Winter über die Gipfel brausen, besser standhalten.

Seiten 90–91: Das schlichte Steintor am Fuß des Berges steht am Anfang des Aufstiegs. Er wurde 1717 errichtet und heißt, wie aus der Inschrift zu erkennen ist, „Erste Himmelspforte“.

一天門

Links: In den ständigen Strom der Touristen und Pilger mischen sich die Sammler von Heilkräutern. An den Hängen des Berges Tai wachsen über hundert verschiedene Arzneipflanzen, darunter einige sehr wertvolle der traditionellen Arzneimittelkunde.
Unten: Der Turm der Zehntausend Unsterblichen, ein 1620 zu Ehren der taoistischen Heiligen errichteter Tempel.

Seite 94: Haupteingang zum Palast der roten Tore, einer der vielen dem Kult der Prinzessin der bunten Wolken geweihten Tempel.

Seite 95: Der 1563 errichtete Portikus der Himmlischen Treppe. Von dieser Stelle an begann Konfuzius den Aufstieg auf den Treppen zum Gipfel des Berges.

紅門宮
瞻巖初步

天階
天下巍巖第一山
人間靈應無雙境
紅門

Rechts: Der majestätische Tai Tsung Fang, Bogen des Vorfahren Tai. Es handelt sich ebenfalls um einen der vielen Ehrenbezeichnungen der Berggottheit. Er wurde 1730 errichtet und liegt ca. einen halben Kilometer vom Tempel des Berges Tai entfernt. Die drei Schriftzeichen am Giebel des Bauwerkes bedeuten „Bogen des Vorfahren Tai“ und sind im antiken Stil geschrieben.

Seiten 98–99: Die kleine Steinbrücke über den Teich der Königin-Mutter des Westens, eine archaische chinesische Göttin, die ebenfalls auf dem Berg Tai, der heiligen Stätte aller Religionen in China, verehrt wird.

王母泉

Unten: Ein Bronze-Dreifuß aus der Zeit der Tang-Dynastie im Hof des Tempels der Universalen Erleuchtung, der auf halbem Weg zum Gipfel des Berges steht. Ein Weg am südlichen Berghang entlang führt zu diesem Tempel.
Rechts: Eingang zur Höhle des Patriarchen Lu, eines Mannes, der im 8. Jahrhundert gelebt hat und unter dem Titel Held der wunderbaren Weisheit in das taoistische Pantheon aufgenommen wurde. Die Legende berichtet, daß Lu-Tung-pin, so hieß er mit vollem Namen, den größten Teil seines Lebens als Eremit in dieser Gegend verbracht hat.

Seite 102: Ort, genannt Punkt, an dem die Pferde zurückgelassen werden. Rechts bildet der Felsen eine Art Dach, unter dem sie Schutz finden können.

洞天福
呂祖洞
仙洞靈府

Die drei Religionen

Vorhergehende Seite: Das Grab des Konfuzius in der Stadt Chu-fu, wenige Kilometer vom Berg Tai entfernt. Der Friedhof, genannt Wald des Großen Weisen, in dem der Meister und ein Großteil seiner Nachfolger begraben liegen, befindet sich an dem Ort, wo im 6. Jahrhundert v. Chr. die Hauptstadt des Staates Lu stand, in der Konfuzius geboren wurde. Dem Erdhügel gegenüber wurde 1443 eine Stele mit folgender Inschrift errichtet: „Grab des Fürsten Wen Hsuan, der vollkommenste und heiligste". Wen Hsuan war einer der vielen Ehrentitel, die Konfuzius im Laufe der Jahrhunderte nachträglich erhielt.

Der Konfuzianismus

Der Konfuzianismus ist in dem uns geläufigen Sinne keine Religion. Er ist aber auch keine Philosophie, d.h. eine Wissenschaft, die sich auf der Metaphysik, der Epistemologie, der Logik und der Ethik aufbaut. Die Ethik allein ist die Grundlage der chinesischen Philosophie, die sich seit ihren Ursprüngen in erster Linie der Gesellschaft und den menschlichen Beziehungen zuwendet. Die verschiedenen Geistesschulen und insbesondere der Konfuzianismus haben sich seit jeher für die Gesellschaft und nicht für das Universum interessiert, für diese Welt und nicht für das Jenseits.
Als Konfuzius von einem Jünger gefragt wurde, was der Tod sei, antwortete er: „Wenn du das Leben noch nicht verstanden hast, wie willst du dann verlangen zu wissen, was der Tod ist?"
Die Lehre des Konfuzius baut sich auf dem Gedanken auf, daß dem menschlichen Willen eine höhere Macht übergeordnet ist, die jedoch nicht unabhängig ist von diesem. In der *Großen Studie,* einem klassischen Werk der konfuzianischen Schule, das der Meister seinem Jünger Tseng-tzu persönlich diktiert haben soll, ist zu lesen: „Als die Alten die leuchtende Tugend in der Welt wieder erstrahlen lassen wollten, ordneten sie zuerst ihren Staat; da sie ihren Staat ordnen wollten, ordneten sie zuerst ihre Familie; da sie ihre Familie ordnen wollten, vervollkommneten sie zuerst ihre Person; da sie ihre Person vervollkommnen wollten, verbesserten sie zuerst ihr Herz; da sie ihr Herz verbessern wollten, läuterten sie zuerst ihre Gedanken, erweiterten sie zuerst im höchsten Maße ihr Wissen. Im höchsten Maße das Wissen erweitern bedeutet, dem Prinzip der Dinge auf den Grund zu gehen. Ist man den Dingen auf den Grund gegangen, erreicht das Wissen den höchsten Stand; hat das Wissen den höchsten Stand erreicht, sind die Gedanken geläutert; sind die Gedanken geläutert, ist das Herz fehlerfrei; ist das Herz fehlerfrei, ist auch die Person vollendet; ist die Person vollendet, ist auch die Familie geordnet; ist die Familie geordnet, ist auch der Staat geordnet; ist der Staat geordnet, ist auch das Reich befriedet. Vom Sohn des Himmels bis zum Letzten des Volkes gilt für alle das Prinzip, die eigene Person zu vervollkommnen."
Laut Marcel Granet kommt in dieser Auffassung der Gedanke eines ständigen Umlaufs in allen Bereichen, der Moral, der Natur oder der Gesellschaft, des gleichen Prinzips der Ordnung zum Ausdruck. Dieses Prinzip verwirklicht sich in dem Moment, in dem das Subjekt sich dessen voll bewußt wird. Es ist eine Auffassung, die zurückgreift auf die ältesten Glaubensauffassungen Chinas, die besagen, daß die Welt der Natur und die Welt des Menschen solidarisch sind und sich gegenseitig ergänzen.
Über das Leben des Kung Tzu, des Meisters Kung, im Westen unter dem latinisierten Namen Konfuzius bekannt, weiß man nur wenig. Nach der Tradition wurde er 551 v. Chr. in Chu-fu, der nur wenige Kilometer vom Berg Tai entfernt liegenden Hauptstadt des Staates Lu in Shantung, geboren. Noch heute werden hier der Weise und seine Jünger durch zahlreiche Tempel und Denkmäler verehrt. Die Mutter, kurz nach der Geburt des Kindes verwitwet, widmete sich allein seiner Erziehung. Sie stammte aus einem verarmten Adelsgeschlecht und erzog das Kind nach strengen traditionellen Prinzipien. Konfuzius soll bereits als Kind im Spiel mit anderen Kindern gern die rituellen Hofzeremonien nachgeahmt haben. Erwachsen, trat er in den Dienst des Fürsten von Lu, wo er zunächst die Verantwortung für die öffentlichen Arbeiten und dann für das Ministerium der Gerechtigkeit übernahm. Er leistete dem Fürsten große Dienste und rettete ihm einmal das Leben, als er ein Attentat vereitelte, das sein Rivale, der Fürst des Staates Chin, gegen ihn angezettelt hatte. Dieser befürchtete, der Staat Lu könnte zu mächtig werden, wenn der Herrscher alle Ratschläge des Konfuzius befolgte. Es gelang ihm, Konfuzius aus seiner Position am Hofe zu verdrängen. Zu diesem Zweck schenkte er dem Fürsten eine Schar schöner Mädchen, die ihn von seinen Regierungspflichten ablenkten. Konfuzius dankte ab und verließ sein Heimatland. Er durchwanderte alle Staaten des Reiches auf der Suche nach einem Fürsten, der bereit war, ihn als Ratgeber anzustellen und ihm erlaubte, die Regeln der guten Herrschaft der weisen Könige der alten Zeit zu verwirklichen.
Im 6. Jahrhundert v. Chr. zeichnete sich bereits der Verfall des Lehnssystems ab. Viele Gelehrte, die Lehrmeister der Aristokratie gewesen waren, oder auch verarmte Angehörige der Aristokratie zogen von Hof zu Hof und boten ihre Dienste als Zeremonienmeister und politische Ratgeber an. Sie bildeten die Klasse oder Kaste der „*Ju-Chia* – Schule der Gelehrten". Konfuzius gehörte dieser Schule an und ist zweifellos ihr bedeutendster Vertreter. Die einstigen Lehnsherren der Chou-Dynastie waren mit der Zeit unabhängig geworden. Sie standen oft im Konflikt untereinander und waren im Begriff, sich autonom zu organisieren. Sie waren überzeugt, daß die Macht nicht eine Gunst des Himmels war, sondern sich auf ein leistungsfähiges Heer und eine stabile Wirtschaft stützte. Sie zogen den Schriftgelehrten, Astrologen und Meistern ritueller

Seiten 106–107: Die Fassade des Tempels der Vollkommenen Verwirklichung, das Hauptgebäude der riesigen Tempelanlage zu Ehren des Konfuzius in Chu-fu. Innerhalb der Mauern gibt es über tausend mit Malerei und Inschriften verzierte Stelen, von denen die ältesten aus dem 1. Jahrhundert v. Chr. stammen. Auf den beiden übereinanderliegenden Terrassen der Tempelanlage wurden früher Zeremonien zu Ehren des Mannes gefeiert, der für die Chinesen der Weise Meister der zehntausend Generationen ist. Der Tempel liegt in den westlichen Außenbezirken der Stadt.

Zeremonien daher Strategen, Techniker, Archivare und Diplomaten vor. Konfuzius gehörte aufgrund seiner Geburt und Erziehung der verfallenden Klasse der Aristokraten an, die Ratgeber der Fürsten gewesen waren, und versuchte nun, dieser Klasse neue Aufgaben, die der neuen Zeit entsprachen, zu stellen. Er erachtete es für notwendig, die aristokratische Moral zu retten, die durch das Auftreten der Staatsräson bedroht war, und erkannte, daß der Adel seine Position nur halten konnte, wenn es ihm gelang, seine Macht nicht auf ererbte Ansprüche, sondern auf der moralischen Autorität aufzubauen. Die Aristokratie, die er anstrebte, war nicht die Aristokratie des Blutes, sondern die des Geistes. Darin liegt einer der wichtigsten, aber auch einer der vielen sich widersprechenden Züge seiner Lehre, die gleichzeitig konservativ und reformatorisch ist. Konfuzius wurde deshalb im Laufe der Jahrhunderte einmal für den stolzesten der Reaktionäre und einmal für den ersten der Demokraten gehalten.

Es heißt, „jede Zeit hat ihren Konfuzius". Damit kommt zum Ausdruck, daß sein grundlegend zweideutiges und widersprüchliches Gedankengut verschiedene Interpretationsmöglichkeiten zuläßt. Vielleicht war es gerade diese Elastizität, die der Lehre die Möglichkeit gab, zwei Jahrtausende zu überleben, denn jede Epoche konnte auf sie zurückgreifen und mit ihr die augenblicklichen Notwendigkeiten rechtfertigen. Im Laufe seines Lebens erhielt Konfuzius keinerlei Anerkennung. Er wanderte zwölf Jahre mit seiner Jüngerschar von Hof zu Hof. Älter geworden, kehrte er nach Chu-fu zurück, wo er eine Schule gründete. Hier trug er seine Lehre vor; inspiriert von der Idee der Erziehung des „ganzheitlichen Menschen", der dem Staat und der Gesellschaft nützlich ist. Er war überzeugt, seinen Anhängern das Kulturgut der alten Zeit übermitteln und erläutern zu müssen. Seine eigenen Worte hierzu lauten: „überliefern, nicht schaffen".

Nach der Überlieferung hat Konfuzius während der Jahre in Chu-fu die beiden Anthologien, das *Buch der Oden* und das *Buch der Geschichte*, überarbeitet, eine Chronik des Landes Lu herausgegeben, eine Abhandlung unter dem Titel *Annalen Frühjahr-Herbst* verfaßt und einen Kommentar zu dem Handbuch der Wahrsagerei *I Ching* geschrieben. Erwiesen ist jedoch, daß der Mann, dessen Gedanken über zweitausend Jahre die chinesische Zivilisation beeinflußt haben und der mit dem Titel „Meistervorbild von zehntausend Generationen" verehrt wurde, auch nicht eine von ihm geschriebene Zeile hinterlassen hat. Die Schriften, die ihm zugeschrieben werden, existierten bereits und waren altes Kulturgut, auf das sich die Erziehung der Aristokraten zur Zeit der Chou-Dynastie stützte. Seine mündlich vorgetragene Lehre ist uns überliefert durch eine von seinen Schülern zusammengestellte Sammlung der *Dialoge:* einfache Gedankensprüche und Aphorismen voll tiefer Weisheit, die dennoch in einem demütigen, zurückhaltenden, diskursiven Ton gehalten sind. Der Meister legte seine Gedanken mit Bescheidenheit dar, ohne jede prophetische Arroganz. Tolerant mit den anderen und sich selbst, setzte er sich dabei immer auf die gleiche Ebene mit seinen Schülern und verurteilte streng die Willkür der Meinungen, den Dogmatismus, die geistige Beschränktheit und die Egozentrik.

Seine Lehre wendet sich nie ausdrücklich religiösen Fragen zu. Dennoch hat sich um Konfuzius ein Kult besonderer Art gebildet, den man als das Bestreben betrachten kann, in seiner Person und in seinem Gedankengut das zu verherrlichen, was man als die fortwährende *Forma mentis* Chinas bezeichnen könnte. Dieser Kult ist vorwiegend privater Natur. Dennoch gab es wiederholte Versuche, den Meister zu vergöttlichen und ihm göttlichen Ursprung zuzuschreiben. Diese Versuche wurden von den konfuzianischen Rationalisten jedoch stets zurückgewiesen.

Tatsächlich schien sich seine Lehre nach seinem Tod drei Jahrhunderte lang nicht durchsetzen zu können. Sie wurde von Denkern anderer Schulen, wie z. B. von den Rechtsgelehrten, den Anhängern des Mo Tzu, heftig angegriffen. Die Denker der Rechtsgelehrtenschule – und nicht die Konfuzianer – lieferten durch die Theoretisierung des Autoritarismus und die Anwendung strengster Gesetze dem chinesischen Staat die ideologische Grundlage für die Vereinigung des Reiches. Die Konfuzianer wurden von Chin Shih Huang Ti (Chin, der erste Kaiser) im Jahre 213 v. Chr. verfolgt, nachdem er der einzige Herr des gesamten Reiches geworden war. Er befahl die Verbrennung aller konfuzianischen Schriften und ließ Hunderte von Anhängern der Lehre des Meisters Kung lebendig begraben. Der Konfuzianismus als humanitäre, paternalistische Ethik nach dem Muster der feudalistischen Gesellschaft, in der sie entstanden war, wurde nach dem Zusammenbruch der Tyrannenherrschaft des ersten Kaisers zur offiziellen Lehre des Chinesischen Reiches ernannt. Dieses Reich war unter der Han-Dynastie, die von 206 v. Chr. bis 220 n. Chr. herrschte, vereinigt worden.

Wodurch wurde es möglich, daß sich der Konfuzianismus als offizielle Lehre und Religion des Staates halten konnte? Von den zahlreichen Hypothesen überzeugt am meisten die, die

大成殿

den Erfolg des Konfuzianismus mit dem Erfolg der Bürokratenklasse der Staatsbeamten in Verbindung bringt, die sich diese Lehre zu eigen machte. Diese Elite baute sich nicht auf dem Erbrecht auf, sondern theoretisch konnte jeder Zugang zu ihr finden, der gewillt war, sich zu bilden. Es gelang ihr über Jahrhunderte hin, ihren Standpunkt, daß der Kaiser nur mit Hilfe gelehrter Diplomaten als Staatsbeamter regieren könne, durchzusetzen. Jede Abweichung von dieser Regel führte zum Unglück und im schlimmsten Fall zum Sturz der Dynastie.

Eine so gigantische und einflußreiche Bürokratie, für die es in der westlichen Geschichte kein Gegenbeispiel gibt, hat demzufolge im Konfuzianismus ein Gedankensystem gefunden, das sich für die Sicherung der eigenen Ausdehnung und des eigenen Fortbestandes eignete. Selbstverständlich hat sie es verändert und den eigenen Bedürfnissen angepaßt. Unabhängig von der ursprünglichen Lehre des Konfuzius, wurde sie zu einer ausschließlich weltlichen Ethik, ein umfangreicher Kodex von politischen Regeln und sozialen Verhaltensmaßstäben für gebildete Menschen.

Der intellektualistische Rationalismus der konfuzianischen Beamten verachtete die Volksreligion und schenkte nur den symbolischen Kulten der großen Gottheiten des Himmels und der Erde Beachtung, die als „Staatsangelegenheit" betrachtet wurden. Für diese waren die Träger der politischen Macht selbst zuständig. Die konfuzianische Bürokratie, d.h. die Träger der Macht, versuchte nie, das Chaos der verschiedenen magischen und Helden-Kulte, von denen es im Volk wimmelte, zu ordnen. Im Gegenteil, sie förderte sogar ihre Vermehrung und unterdrückte jedes Aufkommen eines organisierten Kultes und eines dafür zuständigen Klerus. Dies geschah zum Zweck der Selbsterhaltung, denn jede Rationalisierung eines Volksglaubens zu einer autonomen Religion hätte dann, wie Max Weber feststellt, eine unabhängige Macht gegenüber den Staatsbeamten und eine Gefahr für deren Hegemonie dargestellt.

Trotz dieser ideologischen Grundeinstellung des rationalistischen und agnostischen Konfuzianismus nahm er dennoch etwa um das 1. Jahrhundert die Form einer echten Religion an. Im Jahre 59 n.Chr. befahl der Kaiser die Errichtung von Tempeln zu Ehren des Konfuzius im ganzen Land und die Verehrung des Meisters als „göttliches Wesen". Bis zu diesem Zeitpunkt hatte es nur den Tempel in Chu-fu am Fuße des Berges Tai gegeben. Es wird überliefert, daß er im Todesjahr des Meisters erbaut und seither mehrfach an der gleichen Stelle wiederaufgebaut wurde. Der Historiker Ssu-ma Chien unternahm im 2. Jahrhundert eine Wallfahrt hierher und berichtet, daß der Wagen und die Gewänder, die Konfuzius gehört hatten, hier als Reliquien aufbewahrt wurden. Im Laufe der Jahrhunderte erhielt der Meister, ebenso wie alle anderen göttlichen oder halbgöttlichen Wesen des chinesischen Pantheons, noch verschiedene andere Ehrenbezeichnungen. 736 wurde er zum König ernannt, 1075 auf den Stand eines Fürsten degradiert, 1106 zum Kaiser befördert; im Jahre 1530 erklärte dann der Kaiser Shih Tsung aus der Ming-Dynastie, daß Konfuzius nur unter dem Titel „Vollkommener Heiliger Alter Meister" zu verehren sei, da kein von Menschen verliehener Titel ihm gerecht werden könne. Auf diese Weise wurde er dem Himmel gleichgestellt, der ebenfalls keinerlei hierarchischen Titel führt. Auch die Tatsache, daß in keinem Konfuzius geweihten Tempel seine Statue anzutreffen ist (mit Ausnahme des Tempels in Chu-fu), sondern nur Gedächtnistäfelchen, bestätigt die Annahme, daß Konfuzius nicht als Gott im üblichen Sinne betrachtet wurde.

Die Frage, ob Konfuzius als Gott angesehen werden muß oder nicht, bleibt wahrscheinlich ungelöst: die Tendenz, ihn zu vergöttlichen, ist weitaus geringer als die, ihn ausschließlich als den Meister zu betrachten. Aber auch wenn er nur als der Meister, der Weise im absoluten Sinne gesehen wird, schließt das nicht aus, daß seine Figur und sein Gedankengut tiefe Gefühle der Verehrung hervorrufen. Joseph Needham schreibt: „... in keiner anderen Stätte kann das Heilige so tief empfunden werden wie in den konfuzianischen Tempeln, und dennoch sprach der Meister nie von ‚Göttern und Geistern', verfaßte keine Kosmologie und noch weniger eine Theologie; wenn er später ‚vergöttlicht' wurde, so geschah dies auf dankbare, liebenswürdige und in weitem Maße poetische Weise, die bei den Chinesen gegenüber großen Erfindern, tugendhaften Herrschern und insbesondere den wohltätigen Drachen üblich ist..." Andererseits muß unterschieden werden zwischen dem Kult, den Konfuzius privat durch die Gelehrten oder in den Schulen erfährt und der keinerlei religiöse Merkmale aufweist, und dem offiziellen Kult von seiten der Staatsorgane.

Bis zum Zeitalter der Republik wurde in allen Verwaltungshauptstädten zweimal jährlich, im Frühjahr und im Herbst, in den Tempeln des Konfuzius, genannt *Wen-Miao* – Tempel des Schrifttums, ein feierlicher offizieller Ritus begangen. Die Feierlichkeiten wurden vom Oberhaupt des Verwaltungsbezirkes geleitet, und alle Zivil- und Militärbeamten des Gebietes waren verpflichtet, daran teilzunehmen. Sie mußten sich zur

Läuterung durch ein zweitägiges Fasten darauf vorbereiten. Bei der Feier wurden auf der Grabtafel des Konfuzius Speisen und Weihrauch dargebracht, begleitet von musikalischen Darbietungen und Tänzen. In der Hauptstadt wurde der Kult vom Kaiser selbst zelebriert.
Auch diese offiziellen Feierlichkeiten trugen privaten Charakter. Hierüber berichtet der Jesuitenmissionar Matteo Ricci (1552–1610): „... Konfuzius wird von allen für den heiligsten Mann gehalten, der je gelebt hat, und als solcher verehrt ... in jeder Stadt und Schule, in der sich die Gelehrten versammeln, gibt es nach einem alten Gesetz einen Tempel des Konfuzius; er ist sehr prachtvoll und enthält seine Statue und seinen Namen und Titel ... die Gelehrten bringen ihm eine Art Opfer dar aus Duftstoffen und toten Tieren, auch wenn sie ihn nicht als Gottheit betrachten und ihn um nichts bitten. Es kann daher nicht als ein echtes Opfer bezeichnet werden." Voltaire hatte sich über China und Konfuzius nur anhand der Berichte der Jesuitenmissionare informieren können, die den privaten Charakter des dem Meister Kung dargebrachten Kultes hervorhoben. Daher hielt Voltaire China für das „vollkommene Reich der Philosophen" und widmete Konfuzius den berühmten Vierzeiler: „Allein des weisen Verstandes Interpret / sprach er, ohne die Welt zu blenden und die Geister erleuchtend / als Weiser und nie als Prophet / und dennoch glaubte man ihm im eigenen Land." Von nur geringer Bedeutung ist dabei, daß der Konfuzius Voltaires nicht dem echten Konfuzius entspricht. Jedes Zeitalter hat seinen Konfuzius. Um 1920 waren in China zahlreiche freie Schulen eröffnet worden, die sich auf den Franzosen Comte, den großen Theoretiker des Positivismus, stützten. Der Name Comte wurde phonetisch ins Chinesische durch die Schriftzeichen Kung Teh übertragen; das erste Schriftzeichen ist der Familienname des Konfuzius, und das zweite bedeutet Tugend. Der Positivismus war somit einer konfuzianischen Tugend gleichgestellt worden; und in Wirklichkeit kann das Wesen der Lehre des Konfuzius sehr gut als Positivismus im Gegensatz zu Theologie und Metaphysik bezeichnet werden.

Der Taoismus

Dem konfuzianischen China steht das taoistische China gegenüber. Letzteres fußt auf der Lehre des „Narren von Chu", Lao Tzu, eines Weisen und laut Überlieferung Zeitgenossen des Konfuzius. Er wird als der Autor des *Tao Teh Ching* betrachtet, eines klassischen Werks über den Weg und die Tugend. Es ist eines der faszinierendsten und geheimnisvollsten Werke der chinesischen Literatur der alten Zeit. Der Taoismus bietet eher als der Konfuzianismus die Voraussetzung, als Religion bezeichnet zu werden. Unter konfuzianischem Gesichtspunkt diente der Staatskult zu Ehren abstrakter Gegebenheiten, wie des Himmels und der Erde, den Interessen der Gemeinschaft, dem Ahnenkult der Familiengruppe; das Individuum wurde in seiner Suche nach Erlösung völlig vernachlässigt. Der Taoismus war zu Beginn eine philosophische Schule und entwickelte sich erst später zur Religion. Ihm liegt gemeinsam mit dem Konfuzianismus und dem gesamten chinesischen Gedankengut, der Begriff des *Tao* zugrunde. *Tao* bedeutet „Weg", „Lauf" und im weiteren Sinne „Lauf der Dinge" und ist als dynamisches Prinzip in jedem Naturprozeß wirksam: es wird nicht als mechanische Bewegung, sondern als ständiger lebenspendender Fluß betrachtet, der sich aus dem Wechsel der beiden Prinzipien *Yin,* weiblich, passiv, kalt, und *Yang,* männlich, aktiv, warm, ergibt. Für den Konfuzianismus stellt das *Tao* die ewige Ordnung des Kosmos dar und gleichzeitig seine Zukunft; für die Meister der taoistischen Schule ist er hingegen das göttliche Eine-Alles, das auf mystische Art und Weise erreicht werden kann durch die Ekstase – durch die Entleerung von jeder Leidenschaft bis zur Erreichung der vollkommenen Untätigkeit, des „Nicht Handelns". Für die taoistischen Philosophen sind die „Anweisungen für das öffentliche Wohl" widersinnig und unnütz. Der Weise, der die mystische Vereinigung mit dem *Tao* anstrebt, muß in der Abgeschiedenheit leben, ohne sich im geringsten um eine Gefolgschaft zu bemühen.
Marcel Granet sagt über die ersten großen taoistischen Denker: „Sie sind Asketen, verachten jedoch die Kasteiungen. Sie sind gläubig, es liegt ihnen jedoch wenig an Göttern, Dogmen, Moralvorstellungen, Meinungen. Sie sind Mystiker, nie waren jedoch Gebete und Gefühlsergüsse kälter und unpersönlicher als die ihrigen. Sie sind, oder zumindest zweifeln sie nicht daran, es zu sein, die einzigen wahren Freunde des Menschen, verhöhnen jedoch die guten Werke. Sie behaupten, den wahren Weg zu kennen, wie man das Volk führt, werden jedoch in höchsten Maße sarkastisch, wenn die Rede von sozialen Pflichten ist. Sie haben China die gefährlichsten Sektenführer, taktvolle Politiker, die subtilsten Dialektiker, die scharfsinnigsten Philosophen und den besten Schriftsteller geliefert. Dennoch achten sie einzig und allein die Bescheidenheit, die Enthaltung und die Zurückhaltung. Sie behaupten, daß keiner heilig sei, der eine Spur hinterläßt." Keine Spur hinterlassen

Die weißen Marmorsäulen, die das untere Dach des Tempels der Vollkommenen Verwirklichung stützen. Die insgesamt zehn Säulen wurde alle jeweils aus einem einzigen Marmorblock gemeißelt und mit Basreliefs sich in phantastischen Windungen verflechtender Drachenfiguren verziert. Im Innern befindet sich unter einem von zwölf Holzsäulen gestützten Gewölbe eine große Statue des Meisters, die als Vorbild für alle Konfuzius-Darstellungen diente. Nur in diesem Tempel offenbart sich der religiöse Aspekt des Konfuzianismus. Er ist eigentlich eine Philosophie des Staates und der Gesellschaft, wurde aber während bestimmter geschichtlicher Epochen auch als Religion aufgefaßt. Bei den sehr ausgefeilten Kulthandlungen übernahm der Kaiser die Rolle des obersten Priesters.

und das Handeln auf ein Minimum beschränken ist der einzig mögliche Beweis für den Zustand der Gnade oder der Ekstase, die der Mystiker genießt. Dieser führt einen Bruch mit der Welt herbei und findet dadurch die Bestätigung, daß die Welt ihm in keiner Weise schaden kann. Die Taoisten halten den Heiligen den konfuzianischen „Edelmännern" gegenüber für überlegen, weil letztere zu stark an die Dinge dieser Welt gebunden sind, während der Heilige es nicht nötig hat, tugendhaft unter den Menschen zu erscheinen, denn es genügt ihm, sich dem *Tao* anzupassen. Wie kann man aber das *Tao* definieren? Im *Tao Teh Ching* ist zu lesen: „Das *Tao*, über das man sprechen kann / ist nicht das *Tao*. / Die Namen, die gegeben werden können, sind keine Namen. / Ohne Name ist der Ursprung der Erde und des Himmels. / Der Name ist der Vater aller Dinge ... Das *Tao* durchdringt alles, und unerschöpflich ist sein Gebrauch. / Unergründlich ist das *Tao* / wie die Ursprungsquelle aller Dinge / und dennoch sind alle Dinge geheim. / Das, was *Tao* genannt wird, / meidet und flieht dich / und dennoch sind alle Dinge geheim, / dunkel und undeutlich ist in ihnen die Lebenskraft ..." In einem anderen Kapitel heißt es weiter: „Alle sagen es: das *Tao* ähnelt sehr einer Torheit. / Weil es groß ist, deshalb ähnelt es einer Torheit. / Wenn es nicht einer Torheit ähnelte, hätte es keinerlei Wert ..."

Chuang Tzu bietet andere Definitionen für das *Tao*. Er lebte ungefähr zwei Jahrhunderte nach Lao Tzu (nach der Überlieferung starb er 265 v. Chr.) und ist der Autor eines Buches, das seinen Namen trägt, des *Chuang Tzu*. Es wird auch von jenen, die seine Meinung nicht teilen, aufgrund seines eleganten, humoristischen und spritzigen Stils als ein großes Werk der Literatur betrachtet. Für Chuang Tzu gibt es nichts als zufällige, vergängliche, vielfache, einmalige Antworten, die Welt löst sich auf in einem Fluß von Erscheinungen, und es gibt keine gemeinsamen Maßstäbe, es sei denn äußerliche, künstliche, die vom Menschen geschaffen wurden.

Berühmt ist seine Geschichte vom Schmetterling. Chuang Tzu erzählt, daß er eines Tages eingeschlafen war und träumte, ein Schmetterling zu sein. Beim Erwachen war er wieder Chuang Tzu. „Wer bin ich?" fragte er sich nun. „Chuang Tzu, der träumt, ein Schmetterling zu sein? Oder ein Schmetterling, der glaubt Chuang Tzu zu sein?" Es handelt sich um zwei Beurteilungen, die Zeugnis von einer Veränderung ablegen: aber wer kann sagen, ob sie real oder imaginär ist? So ist keine sichere Unterscheidung zwischen dem Sein und dem Nichtsein, zwischen dem Leben und dem Tod, zwischen dem Schönen und dem Häßlichen, zwischen dem Nützlichen und dem Schädlichen möglich, denn es sind keine wirklich gegensätzlichen Begriffe, sondern subjektive und momenthafte Beurteilungen. Chuang Tzu schreibt: „Das Leben des Menschen zwischen Himmel und Erde ist wie ein weißes Pferd, das über einen Graben springt und sofort verschwindet." Die einzige abstrakte, vollkommene und undefinierbare Wahrheit ist das *Tao*, d. h. die autonome, neutrale, unerschütterliche Umwelt, die die Gesamtheit der vergänglichen Wahrheiten, der gegensätzlichen Erscheinungen bildet; der Ort, an dem die Verschmelzung aller Gegensätze stattfindet.

Für Chuang Tzu und für alle taoistischen Philosophen ist das *Tao* in allen Dingen anzutreffen. Im *Chuang Tzu* ist folgender Dialog zu lesen: „Wo ist das *Tao?*" „Das *Tao* ist überall." „Gib ein genaueres Beispiel." „Es ist in dieser Ameise." „Ein noch geringeres Beispiel?" „Es ist in diesem Grashalm." „Kann das *Tao* in etwas noch Niedrigerem sein?" „Es ist in diesem Stein." „Ist das sein geringster Aufenthaltsort?" „Es ist in dieser Ausscheidung." Die Schlußfolgerung ist: „Sucht nach keinen Beispielen, es gibt nichts, wo das *Tao* nicht ist."

Mit Lao Tzu und vor allem Chuang Tzu offenbart sich der Taoismus als eine reine Doktrin, die einzige, die in gewisser Weise der chinesischen Denkweise eine Metaphysik vermittelt. Durch die Verneinung des Ichs und die stille Kontemplation ist er dem *Ch'an*-Buddhismus verwandt, der uns unter dem japanischen Namen Zen bekannt ist. Als Frage ergibt sich, wie diese gehobene Philosophie die Grundlage bieten konnte für eine individuelle Heilsreligion, überreich an Aberglauben und vor allem an magischen Bräuchen.

Man hat vermutet, daß die Gedanken der ersten taoistischen Autoren unter Berücksichtigung der im alten China stark verbreiteten Ekstase-Übungen zu interpretieren sind. Die Medizinmänner fielen bei den Feiern zu Ehren der Verstorbenen in Trance und nahmen den Geist des angerufenen Verstorbenen in ihrem Körper auf oder unternahmen lange „magische Reisen". Die von den taoistischen Philosophen beschriebenen mystischen Flüge unterscheiden sich nicht wesentlich von den Trancen der alten Schamanen, von denen man annahm, daß sie mit dieser Flucht aus der Wirklichkeit ihre Lebenskraft erhöhten. All diese seit der frühesten Zeit von den Medizinmännern oder Schamanen ausgeübten Praktiken dienten dem „langen Leben", und die taoistischen Denker verweisen in ihren Schriften wiederholt auf die Kunst des „langen Lebens". Sie glaubten, dies sei mit Hilfe magischer Riten und körperlicher Zucht erreichbar. Die Ekstase war ein Mittel zur Verwirk-

Der Pavillon der Terrasse des Aprikosenbaums innerhalb der Konfuzius-Tempelanlage. Die Überlieferung besagt, daß hier ein Aprikosenbaum stand, unter dessen Schatten der Meister den ehrfurchtsvoll um ihn versammelten Jüngern seine Lehre vermittelte. Ganz in der Nähe wurde ein Pavillon zum Schutz eines Wacholderbaums errichtet, den, wie die Inschrift auf einer im 15. Jahrhundert erstellten Stele erklärt, Konfuzius selbst einsetzte.

lichung der gleichzeitig spirituellen und körperlichen Askese, die gleichgestellt war mit einem spontanen, freien und frohen Lebensideal. Die Asketen meditieren, läutern sich und fasten daher nicht nur, sondern bereiten sich auch durch belebende Spiele, die sie den Tieren abschauen, auf die Ekstase, die Levitation und den magischen Flug vor.

Die Verwandtschaft des taoistischen Gedankens mit dem ältesten magischen Bestand läßt sich daraus erklären, daß die taoistische Lehre in einer besonderen Umwelt entstanden ist. Es war die Umwelt der Archivare der Stadtherrschaften, die eine Art Korporation bildeten. Sie verfügten über die Geheimnisse der Wahrsagekunst, die Wissenschaft der Sterne, der Medizin und der Pharmazie. Viele der unverständlichen Aussagen von Lao Tzu und Chuang Tzu wären in ihrer Bedeutung klarer, betrachtete man sie als Anspielung auf konkrete Praktiken, die nur den Eingeweihten verständlich waren. Auf diese Weise ist es möglich, eine gewisse Kontinuität zwischen dem Taoismus der Philosophen und der taoistischen Religion, nach Neotaoismus genannt, zu verfolgen. Dieser verbreitete sich bereits im 2. Jahrhundert v. Chr. anfänglich unter den Aristokraten und dann auch unter dem Volk. Die Religion fand Anhänger unter jenen, die ihre persönliche Stärke erhöhen und die Unsterblichkeit erlangen wollten, sowie unter jenen, die sich der Strenge des Konfuzianismus als einer Lehre der festgelegten Ordnung, die eine abstrakte Moral ohne jede trostreiche Belohnung lieferte, widersetzten.

Der Taoismus offenbarte sich als Heilsreligion, die sich um das Leben der einzelnen Gläubigen bemühte, und versuchte, auf die Ängste des Menschen in bezug auf die Probleme des eigenen Schicksals und die letzten Fragen eine Antwort zu finden, auf die sich der agnostische Konfuzianismus einzugehen weigerte. Die Erlösung, die der Taoismus dem einzelnen bot, betraf allerdings nicht die spirituelle Unsterblichkeit nach dem Tod, sondern die körperliche Unsterblichkeit, denn der chinesischen Lebensauffassung war der Gedanke vollkommen fremd, daß der Mensch eine gesonderte spirituelle Wesenheit besitzen könne, die fähig ist, den körperlichen Tod zu überleben, und die die Ganzheit der Persönlichkeit bewahrt. Ebensowenig glaubten sie, daß etwas, das Seele heißt, dem Körper Leben verleiht. Sie glaubten vielmehr, daß etwas, das dem ähnlich ist, was wir Seele nennen, nach einer Bereicherung des körperlichen Lebens in Erscheinung tritt. Dabei handelte es sich nicht um etwas in sich Geschlossenes, sondern um eine Zusammensetzung aus *Hun* und *Po*, genauer gesagt: drei *Hun* und sieben *Po*. Die *Hun* können wir als rationale, die *Po* als vegetative Seelen definieren. Das Leben wird dem Körper durch den Hauch *Chi* verliehen, der sich im Moment der Geburt mit dem Wesen *Ching* vereint, das sich in jedem Lebewesen befindet und den Geist *Sheng* bildet. Kann der Geist *Sheng* als Seele aufgefaßt werden? Das ist nicht möglich, denn er löst sich im Moment des Todes auf und ist nicht dauerhaft. Die Persönlichkeit kann daher in ihrer Integrität nur erhalten bleiben, wenn der Körper als Wohnstätte der verschiedenen Seelen erhalten bleibt und wenn verhindert wird, daß sich der Hauch vom Wesen trennt. *Hun* und *Po* sind zwei Einheiten von Lebensprinzipien, von denen die ersteren sich auf den Hauch und auf alle Ausdünstungen des Organismus beziehen und die letzteren auf das Blut und alle Körpersäfte. Im Moment des Todes trennen sie sich und können als Geister auf der Erde umherirren, in die Unterwelt oder zu den Gelben Quellen gehen. Jedes *Hun* und jedes *Po* ist wie ein Fragment der Persönlichkeit des Lebenden und führt nach dem Tod eine unabhängige Existenz. Die Taoisten behaupten daher, daß die individuelle Unsterblichkeit nur durch die Erhaltung des Körpers möglich sei, und um den Körper zu erhalten, mußte man die Kunst der „Ernährung des Lebensprinzips" beherrschen. Zu diesem Zweck hat die taoistische Schule eine Reihe von Ernährungsvorschriften, körperlichen Übungen, hygienischen Praktiken und Atmungstechniken entwickelt. Auf diese Weise sollte die Todesursache unschädlich gemacht und jeder Anhänger in die Lage versetzt werden, sich als Ersatz für den sterblichen Körper einen unsterblichen Körper zu schaffen.

Als Hauptursachen für den körperlichen Verfall wurden der Hauch von Getreide und der Hauch der blutenden Nahrung betrachtet. Um die Unsterblichkeit zu erreichen, mußte man daher vermeiden, Getreide und Fleisch zu essen, und dahin gelangen, sich vom reinen Hauch allein zu ernähren: in der Praxis hieß das, die Luft einatmen, solange wie möglich im Körper halten und durch die Luftröhre in die Speiseröhre und von da aus in den Magen gelangen lassen. Die Taoisten entwickelten eine solche Vielzahl an Praktiken zur „Ernährung des Lebensprinzips", daß sie unmöglich alle aufgeführt werden können. Sie stehen alle im Zusammenhang mit der Auffassung vom Körper als einer Welt, die der Außenwelt ähnelt, einem von guten und bösen Gottheiten bewohnten Mikrokosmos.

Die Enthaltsamkeit von den obengenannten Nahrungsmitteln ermöglicht es, die drei im Körper wohnenden bösen Geister, den Blauen Alten, das Weiße Mädchen und den Blutenden Kadaver zu schwächen und schließlich zu töten, denn sie er-

杏壇

nähren sich von der Essenz des Getreides und des Fleisches. Um diese Geister zu entfernen, sind auch besondere Drogen von großem Nutzen, und die chinesische Alchimie hat Tausende verschiedener Rezepte für diese sogenannten Pillen der Unsterblichkeit erfunden die meisten auf der Grundlage von Zinnober, d.h. einer Quecksilber-Schwefel-Verbindung. Ist es dem Adepten schließlich gelungen, sich von den drei bösen Geistern, auch Drei Würmer genannt, zu befreien, kann er sich schließlich mit Erfolg der embryonalen Atmung widmen. Sie heißt so, weil man annimmt, daß der Embryo im Mutterleib ebenso atmet. Das Wichtigste dabei ist, den Atem so lange wie möglich anzuhalten, damit sich alle Organe des Körpers von der reinen Essenz der Luft ernähren können. Die taoistischen Handbücher warnen die Adepten aber auch vor den Gefahren, die das zu lange Atemanhalten in sich birgt, und raten, mit den Versuchen schrittweise vorzugehen, weil sonst schwere physische Störungen oder sogar der Tod eintreten könnte.
Hätte sich der Taoismus darauf beschränkt, seinen Gläubigen die Unsterblichkeit des Körpers unter der Voraussetzung, daß bestimmte diätetische und hygienische Vorschriften eingehalten oder bestimmte Pillen aus Zinnoberzusammensetzungen eingenommen werden, zu versprechen, wäre daraus nicht eine Religion, sondern vielmehr eine medizinische Schule geworden. Neben der Ernährung des Körpers befaßt er sich aber hauptsächlich auch mit der Kunst der „Ernährung des Geistes". Diese zielt darauf, die Einheit der Persönlichkeit des einzelnen durch eine erhöhte Autorität über alle im Körper lebenden Götter und Seelen zu stärken. Dazu dienen spirituelle Übungen, die durch die Wahrnehmung des Inneren eine Beziehung zum gesamten inneren Mikrokosmos ermöglichen. Diesem Stadium folgt das höhere Stadium der mystischen Vereinigung, durch die die Unsterblichkeit sowie die Vereinigung mit dem Einen, d.h. dem *Tao,* erreicht werden kann.
An diesem Punkt tritt jedoch eine neue Schwierigkeit auf. Sie ist darauf zurückzuführen, daß es nicht genügt, eine Beziehung zu den im Körper wohnenden Gottheiten und Seelen herzustellen, sondern diese müssen dazu auch bereit sein. Man kann sie nicht mit Übungen, Rezepten und magischen Formeln dazu zwingen, sondern man muß durch die Führung eines reinen Lebens und durch verdienstvolle Handlungen ihr Wohlwollen erlangen. Auf diese Weise wird der Taoismus von einer individuellen, an hygienischen und asketischen Prinzipien ausgerichteten Lehre zu einer sozialen Lehre, zu einer Religion; diese gibt Anleitungen zur Übung der Tugend, der Flucht vor der Sünde, zum Bekennen der eigenen Schuld und zur Reue; sie ist Anregung für gute Werke, wie die Hungernden zu speisen, die Nackten zu kleiden, den eigenen Besitz an Bedürftige zu verteilen, ohne sich dessen zu rühmen und unter Wahrung der Anonymität. Dies war im China des 2. Jahrhunderts ein vollkommen neuer Impuls. Henri Maspero bemerkt hierzu: „... im Vergleich zum Konfuzianismus, der den Menschen nur als ein Rad im sozialen Getriebe betrachtete, schuf der Taoismus eine echte individuelle Moral. Die Regeln der konfuzianischen Moral konnten nur von dem in die Praxis umgesetzt werden, der über ein Minimum an Autorität verfügte: die taoistische Moral hingegen war für alle anwendbar."
Ke Hung, einer der berühmtesten Taoisten des 3. Jahrhunderts, weist sogar darauf hin, daß die Übung der Tugend den verschiedenen Praktiken zur Erlangung der Unsterblichkeit vorauszugehen hat. In dem Buch *Das Jadesiegel,* einem Werk, das wie die ganze taoistische Literatur nicht genau datiert werden kann, ist zu lesen: „Wer die irdische Unsterblichkeit zu erlangen wünscht, muß dreihundert gute Taten vollbracht haben; wer die himmlische Unsterblichkeit zu erlangen wünscht, muß eintausendzweihundert gute Taten vollbracht haben. Wer eintausendeinhundertneunundneunzig gute Taten vollbracht hat und dann eine böse Tat begeht, verliert alle zuvor angesammelten Verdienste und muß von vorne beginnen." Und weiter: „Bevor nicht alle guten Taten gesammelt sind, ist es unnütz, Drogen zu Erlangung der Unsterblichkeit einzunehmen. Es wird allerdings ein frühzeitiger Tod vermieden."
Ke Hung legte die Unterscheidung in himmlische Unsterbliche und irdische Unsterbliche fest; d.h. die Unterscheidung zwischen denen, denen es gelungen ist, sich mit dem *Tao* zu vereinen, und denen, die im Himmel umherschweifen, jedoch noch an diese Welt gebunden sind. Die irdischen Unsterblichen haben nicht genügend gute Werke getan; haben sie jedoch den festgelegten Anteil von dreihundert verdienstvollen Werken erreicht, sind sie nicht tot, sondern werden von weißen Kranichen oder Drachen auf die Gipfel hoher Berge oder auf Wolken getragen. Sie leben ein rein geistiges Leben, ohne Essen und Trinken, und machen sich einen Spaß daraus, ab und zu unter den Menschen zu erscheinen und Wunder zu wirken. Die himmlischen Unsterblichen sind hingegen jene, die den guten Werken spirituelle Übungen hinzugefügt und in sich selbst das *Tao* verwirklicht haben. In einer Abhandlung über die Ekstase heißt es: „Das *Tao* verändert durch seine vollkommene Kraft den Körper und den Geist. Der, dessen Körper und Geist vereint sind, so daß sie ein Einziges bilden,

heißt göttlicher Mensch. Wenn der Körper dem Geist gleich ist, gibt es kein Leben und keinen Tod mehr. Der eine Körper löst sich auf und wird zu allen Phänomenen: die Phänomene vermischen sich und werden der eine Körper. Der zur Vereinigung gelangte göttliche Mensch, hat das Herz identisch mit dem Himmel und hat kein Bewußtsein: er hat den Körper identisch mit dem *Tao* und hat keine Leiblichkeit."

Dieses letzte Stadium der mystischen Vereinigung mit dem *Tao,* die unumgänglich ist für die Erreichung der himmlischen Unsterblichkeit, ist sehr schwer zu erlangen. Sie ist die Krönung einer vollkommen der Meditation geweihten Existenz, in der die physischen Praktiken gegenüber den in Ekstase versetzenden Praktiken in den Hintergrund treten. Die Ekstase wird als einleitende Phase der Meditation betrachtet, die auch mit Hilfe des Weines auf künstliche Weise erreicht werden kann.

Die taoistische Ernährungslehre schreibt keine ständige Nüchternheit vor, sondern fordert dazu auf, den „Saft" der Dinge zu kosten sowie die alkoholischen Getränke, die „Konzentrate des Lebens" sind. Im *Chuang Tzu* heißt es, daß sich ein Erwachsener keinerlei Schaden zufügt, wenn er im Rauschzustand fällt, weil der die Ekstase einleitende Rausch die Lebenskraft erhöht.

Der Weg der mystischen Vereinigung mit dem *Tao* ist allerdings nie besonders stark verfolgt worden. Er verlangte zu viele Opfer, und nur wenige Asketen haben bis zum Ende durchgehalten. Die meisten, die als Eremiten in Berghöhlen lebten und versuchten, sich von jeder Leidenschaft und jeder Bindung an die Welt zu befreien, befolgten hauptsächlich die diätetischen Vorschriften, führten die Atemübungen durch und suchten Heilkräuter und Mineralien, aus denen sie Drogen des langen Lebens herstellten. Das taoistische Lebensideal mit all seinen physischen und spirituellen Vorschriften wurde im allgemeinen nur schwer vom Volk aufgenommen. Im 1. und im 2. Jahrhundert v. Chr. waren demzufolge auch nur Aristokraten und einige Kaiser Anhänger des Taoismus. Um das Jahr 180 n. Chr. weist der Taoismus hingegen alle Eigenschaften einer Massenreligion auf. Diese Entwicklung wird als ein Versuch erklärt, sich dem Einfluß des Buddhismus zu widersetzen; diese ebenfalls das individuelle Heil verkündende Lehre hatte seit Beginn des 1. Jahrhunderts in China ihren Einzug gehalten. In diesem Zusammenhang erhebt sich die Frage, wie es dem Taoismus gelungen ist, bei den Volksmassen anzukommen.

Die *Tao-Shih,* die taoistischen Meister, konnten das *Tao-Min,* das taoistische Volk, nicht lehren, wie der Tod zu vermeiden sei, denn daß die Menschen starben, war eine offensichtliche Tatsache. Für die Allgemeinheit bestand die Erlösung darin, daß dem Scheintod des Körpers eine materielle Auferstehung in einem unsterblichen Körper folgte. Diesen Körper konnten sich die Gläubigen in diesem Leben leicht schaffen, indem sie die Tugenden übten, an den gemeinsamen religiösen Feiern teilnahmen, beteten und vor allem den taoistischen Meistern ihre Almosen zukommen ließen.

Die taoistische Lehre der Hoffnung auf Wiederauferstehung fand sofort ein breites Echo. Wie stark der Taoismus unter der Bevölkerung verbreitet war, beweist der Aufstand der Gelben Turbane, einer an den Prophezeiungen einiger taoistischer Meister ausgerichteten Sekte. Diese behaupteten um das Jahr 160, daß in Kürze das Zeitalter des Großen Friedens (Tai Ping) hätte beginnen sollen. Die Gelben Turbane, so genannt wegen ihrer gelben Kopfbedeckung, waren alle *Tao-Min* und beabsichtigten die regierende Han-Dynastie zu stürzen, um den Anbruch des gelobten Zeitalters des großen Friedens zu beschleunigen. Die 184 ausgebrochene Revolution verwüstete ganze Regionen und wurde erst nach schweren Kämpfen niedergeschlagen. Die paramilitärische Organisation der Gelben Turbane überlebte allerdings die Niederlage. Das Grundelement war und blieb über Jahrhunderte die Ortsgemeinschaft, die von einem Lehrmeister geleitet wurde. Dieses Amt vererbte sich vom Vater auf den Sohn. Dem Meister stand ein Rat zur Seite, dessen Hauptaufgabe darin bestand, die für den Kult notwendigen Mittel zu beschaffen. Von den Gläubigen wurde der „Reis der himmlischen Steuer" eingenommen, das waren fünf Maß Reis pro Familie, die am siebenten Tag des siebenten Monats abgeliefert werden mußten. Der Meister unterhielt ein Personenstandsregister der Gemeinschaft, in dem alle Geburten und Todesfälle verzeichnet wurden, und leitete die verschiedenen religiösen Zeremonien. Die wichtigsten waren die der allgemeinen Buße und der Erlösung der Verstorbenen.

Der taoistische Klerus war in zwei Gruppen unterteilt: die *Tao-Shih,* die wie die buddhistischen Mönche in einer Gemeinschaft lebten und das Gelübde der Ehelosigkeit abgelegt hatten, sie verbrachten ihre Zeit mit Meditation und der Umsetzung asketischer Prinzipien in die Praxis, um die Unsterblichkeit zu erlangen; die andere Gruppe gehörte dem Stand der Laien an, die Familien übten traditionsgemäß Berufe wie Wahrsager, Exorzisten und Medium aus.

Im 2. Jahrhundert bildete der Taoismus dann bereits eine Kirche mit eigener Struktur, eigener Liturgie und einer im Aufbau

Rechts: Das Kloster der Magischen Bergspitze. Es liegt an einem der nordwestlichen Hänge des Berges Tai. Die Legende sagt, daß das Kloster im Jahre 357 n. Chr. von einem buddhistischen Mönch gegründet wurde, der die Fähigkeit besaß, die wilden Tiere zu zähmen, einfach indem er ihnen sanft in die Augen blickte.

Seiten 118–119: Eine neunstöckige Pagode, die unter der Herrschaft der T'ang-Dynastie (9. Jahrhundert) errichtet wurde, als der Buddhismus in China seine größte Pracht entfaltete. Die Pagode erhebt sich hoch über dem Berg des Weißen Tigers, in der Umgebung des Städtchens Chi-nan, in der Nähe von Chu-fu.

befindlichen Organisation der von Unsterblichen bevölkerten himmlischen Welt. Im 3. Jahrhundert wird von Ko Hsuan berichtet, der vom Himmlischen Herrscher mystische Offenbarungen empfangen haben soll. Er sandte ihm vier „Besucher" oder Engel, die ihm dreißig von der Gottheit inspirierte Texte übermittelten. In den darauffolgenden Jahrhunderten vermehrten sich die „Offenbarungen", und die taoistische Nonne Wei Hua-tsun empfing detaillierte Informationen über die Organisation des Himmels und der Erde. Im 5. Jahrhundert wurde das gesamte Material von Tao Hung-ching im Buch *Ch'en Kao* (Echter Bericht) gesammelt. In diesem Werk, das eine Sammlung von Gesprächen mit Genien, himmlischen Geistern und geheimnisvollen Besuchern enthält, werden erstmals die Drei Reinen, eine Art Dreifaltigkeit, erwähnt.
Zur Zeit der T'ang-Dynastie (8. Jahrhundert) erlebt der Taoismus seine höchste Blüte. Um sich dem Einfluß des Konfuzianismus und des Buddhismus zu widersetzen, geht der Taoismus sogar so weit, Prinzipien konventioneller Moral zu sanktionieren. In dem Werk *Abhandlung über die Verdienste und Vergehen* sind aufs genaueste alle Handlungen mit den entsprechenden Belohnungen und Strafen aufgeführt. Zu Beginn der Herrschaft der Sung-Dynastie war dem Taoismus eine weitere lange Blütezeit vergönnt: Kaiser Cheng Tsung verkündete in der Zeit von 1008 bis 1020 eine Reihe „Offenbarungen", die ihm persönlich durch die Gottheit zuteil geworden waren. Im Kaiserpalast wurden Glückwunschschreiben von seiten des Himmels gefunden, und der Kaiser erwiderte das himmlische Wohlwollen dadurch, daß er den Erhabenen der Jade ins Leben rief, einen der höchsten Götter der Volksreligion Chinas.
Das goldene Zeitalter des Taoismus endete mit dem Beginn der Herrschaft der mongolischen Yüan-Dynastie und später mit der Wiedereinsetzung der Ming-Dynastie. Er wurde durch den wieder aufblühenden Konfuzianismus an den Rand gedrückt, lebte jedoch in der Volksreligion weiter.
Den gebildeten Menschen hat der Taoismus eine Philosophie sowie zur Erleuchtung führende Übungen geliefert, dem Volk hingegen die Magie und die Hoffnung auf Erlösung. Die Gläubigen konnten dem Tod nicht entgehen, hatten jedoch die Möglichkeit, sich durch ihre guten Werke und die gewissenhafte Beteiligung an den Kulthandlungen im Laufe dieses Lebens einen Körper zu schaffen, der nach dem Tod den ersetzte, den sie vor der Verwesung nicht hatten retten können. Auch wenn das Volk nicht den gehobeneren Stand der Unsterblichen erreichen konnte, wurde es doch vor der Qual bewahrt, auf ewig in die Unterwelt eingeschlossen zu werden. Außerdem konnten die Menschen durch die Nachfahren endgültig erlöst werden, wenn diese die rechte Lehre des Taoismus befolgten und ihnen die entsprechenden Kulthandlungen widmeten.
Die ältesten taoistischen Erlösungszeremonien haben sich im Laufe der Jahrhunderte stark verändert, waren jedoch seit jeher extrem überspannt. Bei der Zeremonie der Kohle und des Schlammes mußten sich die Gläubigen schreiend und stöhnend mit kohlegeschwärzten Gesichtern im Schlamm wälzen, um sich von ihren Sünden zu befreien; die Zeremonie zog sich unter den rhythmischen Schlägen der Trommeln und Gongs über Tage hin. Um die Vorfahren von den Sünden zu befreien, feierten die Gläubigen die Zeremonie des Fastens des gelben Talismans. Hierbei waren über tausend bis zur Erschöpfung führende Kniefälle vorgeschrieben, verbunden mit der ständigen Wiederholung monotoner Gebete. Henri Maspero schreibt: „... das Wichtigste war, den Menschen einzuschärfen, daß die Erlösung nur durch Mühe erreichbar ist, und der taoistische Klerus hielt es für überzeugender, daß die Gläubigen diese Mühe körperlich verspürten als daß sie ihnen theoretisch verständlich gemacht würde."
Zwischen der westlichen und der chinesischen Auffassung von der Unsterblichkeit besteht ein grundlegender Unterschied: für die westliche Welt steht es fest, daß der Mensch einen Geist, eine Seele besitzt, die sich von der Natur des Körpers unterscheiden. Die Heilsreligionen streben an, eine unglückliche Unsterblichkeit (Höllenstrafen) zu vermeiden, und versprechen dem Menschen eine glückliche Unsterblichkeit. Bei den Taoisten hingegen steht die Unsterblichkeit selbst auf dem Spiel. Dem Menschen, dessen körperliche und materielle Bestandteile auseinanderfallen, muß es gelingen, sich die Unsterblichkeit zu erobern. Dieses Problem der Bewahrung des Körpers war Ursache für die Überhäufung des Taoismus mit unendlich vielen Praktiken, Formen des Aberglaubens, magischen Formeln, eigenwilligen Rezepten, Talismanen und Beschwörungen und hat dazu beigetragen, den Taoismus zum Aberglauben degenerieren zu lassen.
Der Taoismus hat der chinesischen Mentalität, die stets auf der Suche nach einer allumfassenden Weisheit war, ebenso stark einen Stempel aufgedrückt wie der Konfuzianismus, auch wenn sein Niedergang als Philosophie wie als Religion bereits im 10. Jahrhundert spürbar ist. Die beiden Schulen bilden nicht, wie man annehmen könnte, einen absoluten Gegensatz, sondern sie ergänzen sich. Chinesisch ausgedrückt, be-

严禁拓片

deutet dies, daß der Taoismus die *Yin*-Seite und der Konfuzianismus die *Yang*-Seite der chinesischen Weltauffassung ist.
Der Konfuzianismus kann als die Philosophie derer bezeichnet werden, die „Erfolg“ hatten oder die Hoffnung auf Erfolg haben; der Taoismus hingegen als die Philosophie derer, die versagt haben oder die die Bitterkeit des Erfolges und seiner Eitelkeit gekostet haben und sich gegen die Konventionen auflehnen. Im Taoismus haben sich stets jene zusammengefunden, die kein Interesse für die Gesellschaftsordnung zeigten und sich als Individuen betrachteten („Mein Schicksal ist in mir und im Himmel“, sagt eine taoistische Schrift aus dem 1. Jahrhundert). Sie fühlten sich nicht an jene sozialen Beziehungen und Sittenvorschriften gebunden, die der Konfuzianismus als Grundlage des sozialen Lebens aufgestellt hatte. Typischer Vertreter des Konfuzianismus ist der rechtschaffene Beamte, der voll in seine soziale Umgebung integriert ist, der einzige, der fähig ist, eine des Menschen würdige Arbeit zu leisten. Der typische Vertreter des Taoismus hingegen ist der Verfechter der Anarchie, der Feind der Vernünftigen, der Nonkonformist, der trunkene Poet. Beide Typen können jedoch in ein und demselben Individuum zusammenleben: nachdem der konfuzianische Beamte seine Büropflichten erfüllt hat, kann er seine höfischen Gewänder ablegen und sich der taoistischen Meditation und sexuellen Übungen widmen, um die Kraft seines *Yang* zu stärken, oder im Wein nicht die einfache Flucht in die Trunkenheit, sondern die ekstatische Erhebung suchen, das Vergessen seiner selbst im kosmischen Lauf. In China heißt es: „Der vollkommene Mensch ist tagsüber Konfuzianer und nachts Taoist.“
Der Taoismus wurde daher als die permissive Ideologie des „Privatmenschen“ aufgefaßt, der dem „öffentlichen Menschen“ gegenübersteht, der hingegen den strengen Regeln des Konfuzianismus zu gehorchen hat. Der Wechsel zwischen diesen beiden Geistesrichtungen, jede beschränkt auf ihren Bereich, hat es dem gebildeten Chinesen ermöglicht, sein Gleichgewicht zu finden, das Ideal der „rechten Mitte“ zu verwirklichen – eine Auffassung, die auch dem zugrunde liegt, was allgemein als „chinesische Weisheit“ bezeichnet wird.

Der Buddhismus

Der Buddhismus drang als fremde Religion zu einem Zeitpunkt in China ein, zu dem sich der Taoismus als Heilsreligion durchzusetzen begann. Obwohl der Buddhismus eine der chinesischen Mentalität vollkommen fremde Lehre ist, gewann er dennoch unter dem Volk wie unter der gebildeten Klasse Anhänger. Bis der in China im 1. Jahrhundert n. Chr. eingeführte Buddhismus festen Fuß faßte, vergingen über fünf Jahrhunderte. Die aus Indien stammenden buddhistischen Missionare begannen unter dem Schutz der Taoisten mit der Verbreitung ihrer Lehre. Über drei Jahrhunderte lang wurden daher Taoismus und Buddhismus als zwei Varianten der gleichen Religion betrachtet.
Wie konnte eine solche Vermischung zustande kommen, obwohl Taoismus und Buddhismus in einigen grundlegenden Punkten nicht übereinstimmen? Der Taoismus suchte nach einem Mittel für die Rettung des Individuums in seiner Gesamtheit, der Buddhismus hingegen leugnete die Existenz der Persönlichkeit. Der Taoismus strebte die unendliche Existenz des Körpers und seine Unsterblichkeit an; in den Augen der Buddhisten hatten der Körper und alle Dinge keinerlei Fortdauer, sie waren eine einfache „Bestimmung“.
Diese grundlegenden Unterschiede zwischen den beiden Lehren wurden nicht sofort begriffen. Die Menschen waren beeindruckt von der Ähnlichkeit der Kultübungen und von der Tatsache, daß sich die Buddhisten, ebenso wie die Taoisten, der Mediation, dem Fasten und besonderen Atemtechniken widmeten. Außerdem berichtete über Lao Tzu, den Begründer des Taoismus und Autor des Buches *Tao Teh Ching,* die Legende, er sei im Alter mit seinem Jünger Yin Hsi in Richtung Westen gezogen. Als die buddhistischen Missionare aus den westlichen Gebieten gezogen kamen, glaubten die Chinesen, Lao Tzu habe die Barbaren zu seinem Glauben bekehrt und der Buddhismus sei eine Auslegung des Taoismus mit einigen exotischen Varianten.
Dieses Mißverständnis wurde durch die ersten Übersetzungen der heiligen buddhistischen Texte ins Chinesische verstärkt. Chinesisch ist eine besondere Sprache mit unveränderlichen Wörtern, die die Bildung von Ableitungen ausschließen. Sie eignet sich schwer zur Entwicklung eines philosophischen Wortschatzes, und es ist fast unmöglich, die abstrakten Begriffe der buddhistischen Lehre zum Ausdruck zu bringen. Zu diesen theoretischen Schwierigkeiten kommen die praktischen hinzu, daß die Übersetzungen nur ungenau ausfallen konnten, weil die indischen Missionare nicht fließend Chinesisch sprachen, und wenn sie es sprachen, dennoch die Schrift nicht beherrschten. Sie waren daher auf ihre chinesischen Schüler angewiesen, die ihre mündlichen Erklärungen schriftlich niederlegten.
Es war unvermeidlich, daß der taoistische Wortschatz auf die

Seiten 122–123: Die Wand der Tausend Buddhas am Osthang des Berges des Weißen Tigers. In die 62 m hohe Wand wurden zweihundertzehn Buddhafiguren eingehauen. Sieben Statuen sind über 2 m hoch. Der gesamte Komplex stammt aus dem 7. bis 8. Jahrhundert, als die buddhistische Kunst unter den Anfängen der T'ang-Dynastie ihre höchste Blüte entfaltete.

buddhistischen Begriffe übertragen wurde. Wenn der Anhänger die Bodhi, d.h. die Erleuchtung, erreichte, ergab sich im Chinesischen, daß er das *Tao* erreicht hatte; das *Nirvana,* d.h. die bedingungslose Existenz, wurde im Chinesischen mit *Wu-wei,* d.h. dem taoistischen „Nicht-Handeln", übersetzt. Es gibt noch sehr viel mehr Beispiele sprachlicher Mißverständnisse. Hinzu kommt die Art der Texte, die übersetzt wurden. Es handelt sich immer um Bücher, über die Meditation, die auch die vorbereitenden Übungen, insbesondere die Atemübungen erklärten und die die Taoisten besonders interessierten.
Es war kein buddhistisches Grundwerk über das *Karma* und die Seelenwanderung in die chinesische Sprache übersetzt worden, bis sich Spezialkanzleien damit befaßten. Eine erste Übersetzungskanzlei wurde im 5. Jahrhundert unter der Schirmherrschaft des Kaiserhofes organisiert, und in China fanden nun zahlreiche wichtige buddhistische Werke Verbreitung, die bis dahin unbekannt waren. Die Verbreitung des Buddhismus erreichte während der Herrschaft der T'ang-Dynastie (618–906) ihren Höhepunkt.
Durch die Übersetzung der großen buddhistischen Werke wurde in China die philosophische Spekulation nicht nur des Buddhismus, sondern auch des Taoismus und des Konfuzianismus zutiefst beeinflußt. Dennoch haben sie auf die Religion selbst nur wenig Einfluß gehabt. Es blieb der vereinfachte, chinesisierte Buddhismus erhalten, der den Bedürfnissen der chinesischen Gläubigen angepaßt war. Er hatte den Vorteil, die Erlösung zu sichern, ohne daß sich der Gläubige ebenso strengen physischen und spirituellen Übungen unterwerfen mußte, wie sie der Taoismus verlangte. Die Sanftheit der Praxis des religiösen Lebens und nicht die metaphysische Überlegenheit hat es dem Buddhismus ermöglicht, sich in China als Heilsreligion durchzusetzen. Sie wurde von den Gläubigen aufgenommen, die sich für spekulative Spitzfindigkeiten ebensowenig interessierten wie für die buddhistische Kosmologie, sondern sich damit begnügten, sich selbst eine glücklichere Wiedergeburt im Paradies des Amitabha, dem Reinen Land des Westens, zu sichern.
Unter den einfachen Menschen setzte sich der Buddhismus hauptsächlich durch die rein chinesische Schöpfung der Sekte des Reinen Landes durch. Es genügte, im Leben auch nur ein einziges Mal mit aufrichtiger Hingabe an Amitabha zu denken und jeden Tag seinen Namen anzurufen, um nach dem Tod im Reinen Land wiedergeboren zu werden, wo man nicht geboren wird, sondern sich wie eine Lotosblüte öffnet und so die Seelenwanderung vermeidet.
Die gebildete Schicht der Chinesen war hingegen vom kontemplativen Buddhismus *Dhyana* fasziniert, der im 5. Jahrhundert unter dem Namen *Ch'an* (japanisch: Zen) in China eingeführt wurde. Die Lehre des *Ch'an* oder der Erleuchtung war vom 9.–13. Jahrhundert sehr beliebt. Sie inspirierte die bedeutendsten chinesischen Dichter und Maler, die den Stoff für ihre Dichtungen und Bilder einer flüchtigen, vergänglichen Welt entnahmen, die sie durch den Rhythmus ihrer Verse und Pinselstriche wahrnehmbar machten.
Für den *Ch'an*-Buddhismus sind weder die Tradition noch die Disziplin, noch die guten Werke von Bedeutung. Allein von Bedeutung ist das innere Leben, und die Weisheit ergibt sich aus einer Intuition, die es ermöglicht, die Erleuchtung zu erlangen. Das Beispiel hierfür ist Sakyamuni (gest. um 480 v.Chr.), der nur durch Meditation bereits in diesem Leben Buddha geworden war. Die gebildete Klasse der Chinesen, der der Gedanke an das Jenseits fremd war, fühlte sich von dieser Art Buddhismus mehr angesprochen. Er gab Hoffnung auf eine zukünftige Erlösung, versetzte jedoch in diesem Leben bereits in einen Zustand der Seligkeit, der sich im wesentlichen nur wenig von der taoistischen Meditation unterschied.
Die Masse der Gläubigen, und darunter nicht nur die Ungebildeten, glaubte, in diesem Leben Verdienste sammeln zu müssen, als deren höchstes die Spende von Almosen vor allem an die Bonzen und an die Gemeinschaft der Gläubigen, d.h. die Klöster, galt. Während der Blütezeit des Buddhismus (6. bis 8. Jh.) häuften die Klöster unsagbare Schätze und Reichtümer an: Die Gläubigen übertrafen sich gegenseitig mit reichen Schenkungen von Land, Gold und Geld. Der Kaiser Wu der Liang-Dynastie brachte sogar sich selbst den Mönchen als Geschenk dar und kaufte sich mehrmals mit riesigen Geldbeträgen frei. Mitglieder der kaiserlichen und aristokratischen Familien brachten ihre Verehrung dadurch zum Ausdruck, daß sie auf der Spitze eines Turmes einen Krug aus massivem Gold anbringen ließen, in dem sich zwanzig aus Edelsteinen geschnitzte Kästchen befanden. Rings herum waren zwanzig goldene Teller zum Sammeln des Taus angeordnet. Ganz anderer Art ist die Verehrung, der im 6. und im 7. Jahrhundert die eindrucksvollen Skulpturen der Höhlen von Tung-huang, Yung-kang oder Lung-men, der „Höhlen der zehntausend Buddhas", zu verdanken sind. Hier konnten die Gläubigen in einer Nische die Statue ihres bevorzugten Buddha aufstellen.
Die Prediger des Buddhismus bedienten sich bei der Verbreitung der Lehre zahlreicher gemalter oder in Stein gehauener Bilder ihrer Heiligen. Die Chinesen, die nie über so konkret

Rechts: Ausschnitt aus der Wand der Tausend Buddhas. Der unter vielen Aspekten der chinesischen Mentalität fremde Buddhismus wurde zu Beginn unseres Zeitalters in China eingeführt. Er faßte jedoch erst fünf Jahrhunderte später wirklich Fuß, nachdem durch die Übersetzung heiliger buddhistischer Schriften stärker das eigentliche Wesen dieser Heilsreligion offenbar wurde, die anfangs als eine Variante des Taoismus betrachtet worden war. Während der Zeit der T'ang-Dynastie wurde ganz China von einem religiösen Eifer erfaßt, der vergleichbar ist mit dem des Mittelalters in Europa. Hier führte er zur Errichtung der großen Kathedralen, in China hingegen wurden unter Beteiligung der gesamten Glaubensgemeinschaft die eindrucksvollen Felsenbauten errichtet.

darstellbare Gottheiten verfügt hatten, waren begeistert. Die Gesichter der Statuen erinnern an griechische Plastiken. Die schönsten, in den Felsen gehauenen Höhlenkomplexe mit zum Teil überdimensionalen Statuen wurden auf kaiserliche Initiative unter Beteiligung aller Gläubigen errichtet, die von einem religiösen Eifer beseelt waren, der in Europa mit dem bei der Errichtung der großen Kathedralen im Mittelalter vergleichbar ist.

Die Konfuzianer ließen sich jedoch nicht von diesem religiösen Eifer beeindrucken, und es ist die *Verteidigungsrede gegen Buddha,* die von dem Gelehrten Han Yu dem Kaiser vorgelegt worden war, in die Geschichte eingegangen. Der Kaiser hatte beabsichtigt, eine Reliquie Buddhas suchen zu lassen. Han Yu vertrat die Meinung, daß der Kaiser den Aberglauben nicht unterstützen darf, denn ansonsten ist das ungebildete Volk versucht zu glauben, der Sohn des Himmels sei Buddha geworden. Das würde mit sich bringen, daß sich alle zur fremden Religion bekehren, und den Verfall der nationalen Sitten zur Folge haben.

Die große Verfolgung des Buddhismus im Jahre 845 fällt mit einer nationalistisch gefärbten Rückkehr zum Alten als Mittel gegen die zu starken ausländischen Einflüsse und die Verbreitung fremder Bräuche zusammen. Vor dieser Zeit befand sich die buddhistische Gemeinschaft im Besitz des größten Teils der Edelmetalle des Reiches in Form von Kultgegenständen, Glocken und Statuen. Die Klöster hatten sich zu wirtschaftlich eigenständigen Einheiten entwickelt, mit eigenem Land, eigenen Pfandhäusern, eigenen Sklaven, eigenen Mühlen und eigenen Ölpressen. Außerdem waren alle Mönche von Steuern und Frondienst befreit, und viele traten nur aus diesen Gründen in die religiösen Gemeinschaften ein. Nachdem sie die geistliche Würde für teures Geld erkauft hatten, führten sie ihr gewohntes Leben weiter. Das kaiserliche Dekret des Jahres 845 befiehlt die Abschaffung aller ausländischen Religionen, die Beschlagnahme der klösterlichen Güter und die Laisierung von über vierhunderttausend buddhistischen Mönchen und Nonnen. Damit wurde die weitere Verbreitung des Buddhismus stark beeinträchtigt.

China hat viel vom Buddhismus übernommen: die Lehre von der Seelenwanderung hat sich auch bei den Taoisten durchgesetzt und ist im Volksglauben verbreitet; die buddhistischen Bodhisattvas haben sich mit den taoistischen Unsterblichen vermischt. Das war nicht schwierig, denn die einen wie die anderen haben ihre Vergöttlichung aufgrund persönlicher Verdienste erlangt. In der Volksreligion herrscht in der Höhe der Erhabene der Jade, eine taoistische Schöpfung, und in der Tiefe der Unterwelt der König Yama oder Yan Luo, eine buddhistische Schöpfung. Ebenso beruht auf buddhistischer Organisation die Einteilung der Hölle in Kreise, in denen die Sünder in Erwartung der Reinkarnation entsprechend ihren Vergehen verschiedene Strafen verbüßen.

Buddhismus und Taoismus, die sich als Heilsreligionen so stark ähnelten, mußten dem erneuten Aufstieg des Konfuzianismus weichen. Diesem war es zwar nie gelungen, die Volksmassen mit der Kraft des Glaubens zu durchdringen, er tolerierte andererseits aber auch nicht die Zerstörung der alten Regeln der Sohnesliebe und der konformistischen Grundlagen durch klösterliche und mystisch geprägte Einrichtungen.

Der Haupteingang vom Wohnsitz der Nachfahren des Konfuzius, genannt Wohnung des Herzogs, der Weisheit verbreitet. Diesen Titel erteilt im Jahre 1008 der Kaiser Chen Tsung dem direkten Nachfahren des Konfuzius in der sechsundvierzigsten Generation. Dieser aus vierhundertdreiundsechzig Gebäuden bestehende Komplex liegt im Zentrum der Stadt Chu-fu. Hier lebten die Nachfahren des Meisters bis zur sechsundsiebzigsten Generation. Es handelt sich um einen prachtvollen Patrizierwohnsitz, der in seiner heutigen Form auf das 16. Jahrhundert zurückgeht. Er ist ein Zeugnis für die traditionelle chinesische Architektur.

Seiten 128–129: Die Straße, die zum Wald des Großen Weisen führt, der Friedhof, auf dem Konfuzius und seine Nachfahren begraben liegen; er wird auch Garten des Konfuzius genannt. Innerhalb der sich über sieben Kilometer hinziehenden Friedhofsmauer stehen Tausende jahrhundertealter Bäume. Der im Hintergrund erkennbare Portikus wurde 1594 zur Zeit der Ming-Dynastie errichtet und heißt Tor des Ewigen Frühlings.

萬古長春

Rechts: Der heilige Weg des Konfuzius-Friedhofs. Er führt zum Gaben-Tempel, hinter dem der einfache Grabhügel des Meisters liegt. An beiden Seiten des heiligen Weges stehen Steinstatuen von Panthern und Greifen sowie zwei Statuen der Wächter der Himmelspforten.

Seite 132: Eine der schönsten Statuen der Wand der Tausend Buddhas auf dem Berg des Weißen Tigers in der Nähe des Berges Tai. Die gesamte Umgebung des Berges Tai, die heilige Stätte Chinas par excellence, ist reich an Denkmälern, die ihre Entstehung dem religiösen Eifer eines Volkes verdanken, das nie die Brücken zur eigenen Vergangenheit abgebrochen hat. Dadurch wurde ein Reichtum verschiedener Kulte und Glaubensformen erhalten, die sich zu einer Auffassung von der Heiligkeit verschmolzen haben, die über die einzelnen Glaubensformen hinausgeht.

Chronologie

2000–1520 v. Chr. Das Reich Hsia. Ans Ende der Jungsteinzeit verlegen die überlieferten Jahrbücher die 1. Dynastie der chinesischen Geschichte – die von Hsia –, die von dem mythischen Helden und Kulturbringer Yü d. Gr. gegründet worden sein soll.

1520–1030 v. Chr. Das Reich Shang (Yin). Neue archäologische Funde haben diesem bisher ziemlich dunklen Zeitraum schärfere historische Konturen verschafft. Schon läßt sich eine Zweiteilung der Bevölkerung nach Religion und Lebensweise feststellen: des Adels, der in Stadtpalästen wohnt, und der Bauern, die das Land besiedeln. In seiner Eigenschaft als „Sohn des Himmels" gewährleistet der Herrscher die kosmische Ordnung und ist gleichzeitig politisches und religiöses Oberhaupt.

1030–722 v. Chr. Das Reich Chou. Die Chou, die von den benachbarten östlichen Gebieten her eingefallen sind, bringen ein Herrschaftssystem mit, das an die feudale Gliederung der europäischen Länder erinnert.

722–480 v. Chr. Frühling-Herbst-Periode. Zeit geistiger Blüte, in der „hundert philosophische Schulen" in Lehre und Gelehrsamkeit miteinander wetteifern. Um 550 v. Chr. wird im Staat Lu zu Füßen des Taishan Konfuzius geboren, der Gründer der „juchia"-Schule oder „Lehrer der Gebildeten". Lao-tse, der Vater des Taoismus, soll ein Zeitgenosse des Konfuzius gewesen sein.

480–221 v. Chr. Zeit der streitenden Reiche. Die schwächeren Staaten werden von den stärkeren geschluckt; es entwickelt sich eine gegliederte Wirtschaft, und der Staat Chin stärkt die Zentralgewalt durch Ernennung von Gouverneuren und Einführung der allgemeinen Wehrpflicht.

221–207 v. Chr. Der Herrscher des Staates Chin nimmt als erster Kaiser den Titel „von Chin" an. China ist zum erstenmal geeint. Die Konfuzianer werden verfolgt, ihre Schriften verbrannt.

202 v. Chr. – 220 n. Chr. Han-Dynastie. Ein Volksaufstand führt zum Sturz der herrschenden Dynastie. Lin Pang, einer der Rebellenführer, gründet die Han-Dynastie, die die Lehre des Konfuzius wieder zur Geltung bringt, indem sie sie zum Gegenstand von Pflichtstudien für angehende Beamte macht. 1. Jh. n. Chr. wird der Buddhismus eingeführt, der anfangs als „barbarische" Variante des Taoismus verstanden wird.

220–580. Zeit der Drei Reiche und der Fünf Dynastien. Mit dem Sturz der Han-Dynastie splittert sich China in verschiedene Teilreiche auf. Der Buddhismus breitet sich aus. Es ist eine Zeit großer Umwälzungen, während deren die moralische Unterweisung der gelehrten Konfuzianer kaum Erfolg zeitigt. Schließlich wird die Einheit durch die Sui-Dynastie (581–618) wiederhergestellt, die die buddhistischen und taoistischen Lehren, die im Volk verbreitet sind, wieder aufwertet, sich aber zur Legitimation ihrer eigenen Herrschaft auf die konfuzianischen Prinzipien beruft.

618–907 Die T'ang-Dynastie. Der neue Herrscher und Gründer der Dynastie, ein rebellischer General, setzt die von den Sui begonnene Einigung und Festigung des Staates fort. Das chinesische Reich erreicht den Höhepunkt seiner Macht und Ausdehnung. Große Fortschritte sind im Bereich der Wissenschaft festzustellen, die Kunst erfährt eine außerordentliche Blüte. Der Buddhismus gewinnt große Bedeutung. Die Klöster werden zu Machtzentren, die die wirtschaftliche Ordnung des Staates bedrohen. Um diesen Zustand zu beenden, ordnet ein 845 erlassenes kaiserliches Edikt die Ächtung des Buddhismus, die Zerstörung von 4000 Klöstern und 50000 Heiligtümern und die Beschlagnahme des dazugehörigen Besitzes an.

907–960 Zeit der Fünf Dynastien. China wird aufs neue geteilt, nachdem 875 eine große Volkserhebung das Ende der T'ang-Dynastie gebracht hatte. Die rasch aufeinanderfolgenden Dynastien bringen dem Land keine Ruhe im Innern.

960–1276 Sung-Dynastie. China ist wieder vereinigt, auch wenn im Nordosten ein großer „barbarischer" Staat bestehenbleibt. Die Sung errichten ihre Hauptstadt in Südchina, das eine günstige Entwicklung nimmt, gefördert durch lange Friedenszeiten. Oft ziehen es die Kaiser vor, sich durch Zahlung ansehnlicher Tribute an den Feind den Frieden zu erkaufen. Um sein Ansehen zu stärken, erklärte Kaiser Cheng Tsung 1008, daß er in besonderer Beziehung zum Himmel stehe, und erfand den „Jade-Kaiser" oder „Erhabenen der Jade".

1276–1368 Die mongolische Yüan-Dynastie. Zum erstenmal befindet sich ganz China unter der Herrschaft einer fremden Dynastie. Die Wiedereröffnung der großen Handelsstraßen durch Zentralasien setzt China Einflüssen von außen aus. Der Manichäismus, das Christentum und der Islam fassen in China Fuß. Der Konfuzianismus, der in philosophischer Hinsicht dank Chu Hsi (1130–1200), dem Gründer der neukonfuzianischen Schule der Philosophie, eine Erneuerung erfuhr, ist im Niedergang begriffen, während der Lamaismus in China eindringt.

1368–1644 Ming-Dynastie. Ein Bauernführer, der sich an die Spitze der anti-mongolischen Volksbewegung der „Rotmützen" gestellt hatte, gründet die neue Dynastie, deren Hauptstadt zunächst Nanking, später (seit 1420) Peking wird. Die staatliche Bürokratie wird reorganisiert und der konfuzianischen Staatsauffassung wie einer Art Religion streng Geltung verschafft.

1644–1911 Ching-Dynastie (Mandschu). Die Mandschu bilden eine zahlenmäßig kleine Oberschicht. Sie sind Befürworter der Lebens- und Denkweise der abgesetzten Ming, wodurch sie die Unterstützung der orthodoxen Konfuzianer gewinnen. Im 18. Jahrhundert herrscht im chinesischen Reich großer Wohlstand. Die europäischen Mächte dringen darauf, daß ihnen China für ihren Handel geöffnet wird.

1911 Ende des Kaiserreiches und Ausrufung der Republik.

Glossar

Ahnenkult, die Verehrung der Vorfahren durch rituelle Handlungen; entstanden aus dem Glauben, daß die Verstorbenen Einfluß auf ihre Nachfahren nehmen können und deshalb verehrt werden müssen. Der Ahnenkult war um 1000 v. Chr. in der ganzen Bevölkerung verbreitet. Die Ahnentafeln mit dem Namen, dem Titel und dem Geburts- und Sterbedatum der Ahnen wurden in einer Nische aufbewahrt, vor der man am 1. und 15. Tag jeden Monats Weihrauch opferte und an Festen wie Neujahr mit der ganzen Familie Speisen darbrachte.

Amitabha (chines. A-mi-tuo-fu), buddhistische Gottheit, die in China von der Sekte des „Reinen Landes" oder „Paradies des Westens" verehrt wurde, was eine volkstümliche Entsprechung für das Nirwana war. Es genügte, den Namen Amitabhas anzurufen, um ins Paradies zu gelangen, das dieser Vorgänger Buddhas aus Barmherzigkeit für seine Anhängerschaft geschaffen hat, obwohl er seiner Verdienste wegen hätte ins Nirwana eingehen können.

Bergspitze des Ostens, auch „Großer Herrrscher der Bergspitze des Ostens". Mit diesem Titel wird oft die Gottheit des Berges Tai bezeichnet. In den taoistischen Texten erscheint sie nie für sich allein, sondern immer zusammen mit den Göttern der „Fünf Bergspitzen". Rangmäßig ist die „Bergspitze des Ostens" die Erste und Stellvertreter des „Erhabenen der Jade" (Jadekaiser) auf Erden.

Bodhisattwa (chines. Pusa) = „der zur Erleuchtung Bestimmte"; ein erleuchtetes Wesen, das noch nicht der Buddhaschaft teilhaftig oder ins Nirwana eingegangen ist. In China ist vor allem der Bodhisattwa Kuanyin wichtig, der zu einer weiblichen Schutzgottheit geworden ist.

Ch'an, buddhistische philosophische Schule, im Westen bekannter unter der japanischen Bezeichnung Zen. Nach der Ch'an-Schule ist es, um das Erste Prinzip zu erkennen, notwendig, die Erkenntnis zu gewinnen, daß es keine Erkenntnis nach einer Methode der Erziehung gibt, die nicht (zugleich) Erziehung ist. Die bessere Methode, den Zustand eines Buddha zu erreichen, ist, aller Erziehung zu entfliehen, um sich nicht im „Netz der Worte" zu verstricken, insofern sich zu erziehen eine entschlossene Anstrengung im Hinblick auf die Erreichung eines Ziels bedeutet, während statt dessen jeder Gedanke daran, daß „Erleuchtung" erreichbar ist, unterdrückt werden muß. Im Status der Erleuchtung muß der weise Ch'an leben, als wäre er eine andere Person, und er muß zurückkehren und von neuem ein Teil der Menschheit werden. Und was der Mensch nun tut, ist nicht verschieden von dem, was er früher getan hat, sondern es ist der Mensch, der anders ist, insofern er keinem Ding mehr verhaftet ist.

Erhabener der Jade (Jadekaiser), höchste Gottheit der Volksreligion, die die Aufgaben und Attribute des ↗„Herrschers der Höhe" (Shang Ti) der alten Religion übernahm. Er wurde 1008 vom Kaiser Cheng Tsung in diesen höchsten Rang erhoben, dessen Dynastie wegen eines schmachvollen Friedens mit den Tungusen die Unterstützung des Volkes zu verlieren drohte. Cheng Tsung erklärte feierlich, daß er unmittelbare Beziehungen zum „Himmel" und zu dieser höchsten Gottheit habe, welcher er 1015 die Titel „Urheber des Alls, der menschlichen Schicksale, der Riten" und „Großer Herrscher" zuerkannte. Der Kult des „Jadekaisers" verbreitete sich rasch in allen Bevölkerungsschichten.

Feng, feierliches Dankopfer, das vom Kaiser in eigener Person auf dem Gipfel des Berges Tai dem „Herrscher der Höhe des leuchtenden Himmels" dargebracht wurde. Dabei vertraute der Herrscher der Berggottheit den Auftrag an, dem „Himmel" eine Botschaft zu übermitteln, worin er seinen Dank für die lange glückliche Regierung, die jener seiner Dynastie gewährt hatte, zum Ausdruck brachte.

Gelbe Quellen. So wurden im alten Volksglauben die Unterwelt und ihre Gottheiten genannt. Anfangs wurde die Unterwelt als in der Nähe der menschlichen Siedlungen gelegen gedacht, später lokalisierte man sie im äußersten Norden. Das Los des Menschen nach dem Tod war von der frühen Religion ziemlich vage behandelt worden, weil der Mensch nach chinesischer Vorstellung mit verschiedenen Seelen (↗Hun, ↗Po) ausgestattet ist, die sich im Augenblick des Todes trennen und deren weiteres Schicksal nicht bekannt war. Es entwickelten sich verschiedene Lehren, nach welchen zum einen ein seliges Leben beim „Herrscher der Höhe", zum andern ein Leben in der Unterwelt in den finsteren „Gelben Quellen" oder auch ein Leben im Grab möglich war: König und Fürsten konnten an die Seite des himmlischen Herrschers aufsteigen; die Adligen mußten sich damit zufriedengeben, in ihren Familiengrabstätten zu überleben, während die Masse des Volkes dazu bestimmt war, für immer in der Unterwelt zu bleiben.

Götter der Fünf Bergspitzen ↗Bergspitze des Ostens

Götter der Mauern und Festungsgräben. Alle chinesischen Städte waren von Mauern und Gräben umgeben, und deren Gottheiten wurden als Schutzheilige dieser Orte angesehen. Deswegen waren sie dem Rang nach dem kaiserlichen Beamten des Ortes gleichgestellt, welcher sie als seine Mitarbeiter in der Führung der öffentlichen Angelegenheiten betrachtete.

Großer Herrscher der Bergspitze des Ostens ↗Bergspitze des Ostens.

Heilige Herrscher ↗Bergspitze des Ostens.

Herrscher der Höhe (Shang Ti), höchste Gottheit der archaischen Religion, zunächst durchaus mit menschlichen Eigenschaften vorgestellt, später aber von den Konfuzianern gänzlich entpersonalisiert. Der „Herrscher der Höhe" hat nie die Merkmale einer Schöpfer-Gottheit angenommen und war ursprünglich nichts als der berühmteste und älteste Vorfahr der Shang-Dynastie, welchem die Shang-Kaiser und die Herrscher aller folgenden Dynastien ihre Opfer darbrachten.

Hun. Mit diesem Begriff bezeichnet man eine der vielen Seelen, die nach chinesischem Glauben im menschlichen Körper beheimatet sind. „Hun" dürfte die Hauch-Seele sein, im Gegensatz zu „Po", der Seele des Blutes. „Hun" erscheint nur nach der

Geburt, wenn der Vater, nachdem er das Kind angelacht und zum Lächeln gebracht hat, ihm so seinen Atem mitgeteilt und ihm einen Namen gegeben hat (weshalb „Hun" dem Prinzip „Yang" zugehörig ist). „Hun" ist als eine Gesamtheit von Lebensprinzipien zu verstehen, die den Atem und alle Ausdünstungen des Organismus umfassen. Jeder Mensch soll drei „Hun" besitzen, aber sie werden nicht voneinander unterschieden. Man ist tot, wenn das „Hun" sich vom Körper löst. In der buddhistischen Seelenwanderungslehre ist es das „Hun", das in einer neuen Existenz wiedergeboren wird.

Jadekaiser ↗ Erhabener der Jade.

Nirwana („Auslöschen"), im Buddhismus unbeschreibbarer geistiger Zustand, in dem das Denken, Wollen und Empfinden ausgeschaltet sind und sich die Befreiung vom Kreislauf der Wiedergeburten vollzogen hat.

Paradies des Westens ↗ Amitabha.

Po. Mit diesem Begriff bezeichnet man die Gesamtheit von sieben Seelen, die untereinander aber ununterscheidbar sind; sie sind zusammen mit den „Hun" im Körper jedes Menschen beheimatet. „Po" dürfte die Blut-Seele sein, das Prinzip des vorgeburtlichen Lebens, die Gesamtheit der Lebensprinzipien, die sich auf Blut und alle Körperflüssigkeiten beziehen und die dem „Yin" zugerechnet werden, da es ja die Mutter ist, die das Blut und die Nahrung bereitstellt. Im Augenblick des Todes kehrt „Po" zur Erde zurück oder bleibt im Sterbezimmer und im Grab zurück, um dem Leichnam beizustehen.

Reines Land ↗ Amitabha.

Shang Ti ↗ Herrscher der Höhe.

Tao, grundlegender Begriff der chinesischen Philosophie und (volkstümlichen) Religiosität, der sehr weit zurückreicht und auch heute noch in Gebrauch ist; er bedeutet „Straße", „Weg", „Bahn" oder, im weiteren Sinne, „Lauf der Dinge". Als Grundaussage bezeichnet dieser Begriff Ordnung und Ganzheit als alles regelnde Macht und ruft den Gedanken des rhythmischen Wechsels hervor, der dem Leben der Welt und der Aktivität des Geistes innewohnt, und steht so mit dem Begriffspaar „Yin" und „Yang" in Beziehung (s. dort). Das dynamische Element des „Tao" geht hervor aus der wechselseitigen Einflußnahme dieser beiden einander zugleich ergänzenden und widerstreitenden Kräfte. „Tao" wird daher als stetiger Lebensstrom verstanden, der alle Dinge bildet, als kosmisches Prinzip, das dem Sein in seiner Beständigkeit und in seinem Wechsel Ursprung verleiht. In ihm wirkt „Teh", eine Kraft, die sich in ihrer ganzen Wirkmächtigkeit in der materiellen und geistigen Welt entfaltet, insofern das die höchste Verbindung mit dem „Tao" ergibt. Diese Verknüpfung kommt durch Herbeiführen eines inaktiven Verhaltens ohne Gewalt und Zweckbestimmung zustande. Das Tao ist also keine schöpferische Kraft oder Erstursache, sondern eher das Prinzip, das die gegenseitige Abhängigkeit der verschiedenen Wirklichkeiten und ihrer aufscheinenden Verwirklichungen enthüllt.

Wen-Miao, Literatur-Tempel, wo man den vor allem westlich-staatlichen Kult vollzog, der dem Konfuzius und seinen Jüngern zuteil wurde und der von Beamten der Zivilverwaltung ausgeführt wurde. In den „Wen-Miao-" Stätten sind niemals Statuen oder andere Bilder des Meisters aufgestellt, sondern es ist nur eine einfache Tafel mit seinem Namen und seinen Titeln angebracht, vor welcher die beauftragten Beamten ihre rituellen Kniebeugungen verrichten. Oft sind die „Wen-Miao"-Tempel mit einem großen Saal, der als Bibliothek benutzt wird, ausgestattet, wo sich die „Literatur-Funktionäre", die zur Ausübung des Kultes zusammengekommen sind, aufzuhalten pflegen, um zu diskutieren und die klassischen Texte zu Rate zu ziehen.

Wu-Wei („Nichttun"), gemäß der Theorie des „Wu-Wei" sollte der Mensch innerhalb der Grenzen des Notwendigen und Natürlichen handeln, um nicht die natürliche Ursprünglichkeit der kosmischen Ordnung zu stören. Dieses Nicht-Dazwischentreten ist aktiv in dem Sinne, daß es unermüdlich eine Art Leere ausstrahlt, die sich als Unparteilichkeit bezeichnen läßt. Das ist ein Gedankengang, der von den Taoisten bis zu den äußersten Folgerungen vorangetrieben worden ist, jedoch auch von den Konfuzianern nie völlig widerlegt worden ist – trotz ihres Eifers bei der Reglementierung des sozialen Lebens. Für die Konfuzianer kommt das „Nichttun" dem Nichteingreifen in die natürliche Ordnung des Makro- und Mikrokosmos und dem Sich-darin-Anpassen unter korrekter Anwendung der Riten gleich, die die einzige Garantie der sozialen Stabilität sind.

Yin und Yang, zwei Grundaussagen des chinesischen Denkens, verstanden als Kräfte oder Substanzen, die einander zugleich ergänzen und widerstreiten, sich wechselseitig ablösen oder zu einem Zyklus vervollständigen und zusammenwirken. Die Tradition erkennt all dem eine weibliche Natur zu, was „Yin" ist; eine männliche all dem, was „Yang" ist. Die beiden Prinzipien bilden so ein Paar, das der Grund ist für die Zweiteilung aller Dinge, die gemäß den Bereichen, in denen sie je überwiegend wirken, eingeteilt werden: „Yin" wirkt im inneren Bereich und symbolisiert das Weibliche, Dunkle, Feuchte, Passive; „Yang" wirkt im äußeren Bereich und versinnbildet das Männliche, Helle, Trockene, Aktive. Das „Tao" (s. dort) wäre also die höchste, aber nicht ständige Verbindung dieser beiden Kräfte. In der Symbolik des „I Ching", des ältesten Handbuchs der Wahrsagerei, wird das „Yin" mittels einer unterbrochenen Linie, das „Yang" mittels einer durchgehenden Linie dargestellt, und diese Linien werden in Dreiecken und Sechsecken kombiniert, jedes in seiner eigenen Bedeutung, die verschiedener Auslegungen fähig ist.

Zen ↗ Ch'an.

Namen- und Sachverzeichnis

Abhandlung über die Verdienste und Vergehen 116
Agnostizismus 16
Ahnenkult 109
Amitabha, Paradies des 121
Annalen Frühjahr-Herbst 69 105

Bauer, Legende 15
Berg-Gott Tai 58 60 64
Bergspitze des Ostens 58 60
Bodhi 121
Bodhisattvas 124
Brücke der Unsterblichen Taoisten 29
Buch der Geschichte (6. Jh. v. Chr.) 11 16 105
Buch der Oden 10 14 29 105
Buch von Mencio 72
Buddha 121
Buddhismus 16 46 51 115f 120 124
Bürokratie 108

Ch'an 121
Ch'an-Buddhismus 110 121
Chang Tung-shan, General 51
Chang Ya, Gott des Schrifttums 54
Cheng Tsung, Kaiser 37 50 58 64 68 116 125
Chi 112
Ch'i, Herrscher 13
Chia 16
Chiao 16
Chien Lung, Kaiser 31 60 69 81
Chin Shih Huang Ti, erster Kaiser 13 24 105
China, archaisches 10f 13 46 60 75
–, feudalistisches 13
–, konfuzianisches 109
–, Religionen 46
–, taoistisches 109
Ching 112
Chou-Dynastie 13 58 105
Christentum 46
Chuang Tzu, taoistischer Meister 46 110 112 115
Chu-fu 104f 108 126
Comte (Kung Teh) 109
Chung Kuei, Gelehrter 54f

Dialoge 105
Das Jadesiegel 114
Dhyana 121
Die wunderbaren Geschichten des Liao 46
Drachen 51
Drachenkönige 51
Drachen-Mythos 15
Drei Erhabene 11
Drei Reiche 68
Drei Reine 47 116

Ehrwürdiger Himmlischer der Morgenröte der Jade des goldenen Tores 47
Ehrwürdiger Himmlischer des Ursprungs 47
Ekstase 110 112 114f
Erdgott 9
Erhabener der Jade (Ehrwürdiger Himmlischer Erhabener der Jade) 20 24 47 50f 54f 58 72 116 124
Erlösungszeremonien, taoistische 116
Ernährung des Geistes 114
Ernährung des Lebensprinzips 112
Erste Himmelspforte 10
Ethik 104 108

Familiengötter 54
Feng-Opfer 31 50 72
Feng Yu-lan 9 16
Feste der Fruchtbarkeit 14
Frühjahr-Herbst-Annalen 69 105
Frühjahrsfest(e) 13f
Fuchs-Geister 46
Fu Hsi, Erhabener 11 13
Fünf Herrscher 11

Gedenkstelen 49
Gelbe Quellen 15
Gelber Kaiser 13 55
Gelbe Turbane, Sekte 115
Gelehrten-Funktionäre, konfuzianische 16
Geschichtliche Memoiren (2. Jh. v. Chr.) 12
Gespenster 46
Gott der Ernten 10
Gott des Berges Tai 55
Gott des Donners 51
Gott des Gelben Flusses 10
Gott des häuslichen Herdes 54
Gott des Reichtums 54
Götter 9 46
– der Mauern oder der Festungsgräben 51 54
– des Ortes 51 54
Göttin Pferdekopf 50
Granet, M. 104 109
Großer Friede (Tai Ping) 12
Großer Herrscher der Bergspitze des Ostens 55
Große Studie 104

Han Chung-lin, taoistischer Weiser 64
Han-Dynastie 16 42 68 105
Han Yu, Gelehrter 124
Haol-li, Hügel 58
Hausgötter 54
Heilige, das 13 16 108
Heilige Mutter 68
Heilsreligion(en) 46 116
Herbstfest(e) 13f
Herr der Erde 13
Herrscher, erste 13
–, mythische 12
Herrscher der Bergspitze des Ostens 58 60
Herrscher der Höhen (Shang Ti) 9f
Herrscher der Meilen 10
Herrscher Erde 9
Höhlen der zehntausend Buddhas 121
Hsia, Begründer der Yin-Dynastie 13
Hsia-Dynastie 9 12f
Hsuan Tsung, Kaiser 31 68 72
Huai Nan Tzu, Schriftensammlung 11
Huang-Ti, erster Kaiser 13 24 105
Hun 112
Hu Tzu, Begründer der Chou-Dynastie 13

I Ching, Handbuch der Wahrsagerei 105

Ju-Chia-Schule der Gelehrten 104

Kalender 14
Karma 121
Ke Hung, Taoist 114
Klöster 121 124
Konfuzianismus 16 46 104f 108 110 112 116 120f 124
Konfuzius (Kung Tzu) 10f 16 29 31 46 58 68f 72 93 104f 108f 112 126f
–, Lehre des 16
Konfuzius-Friedhof 130
Konfuzius-Tempel 112
Königin-Mutter des Westens 12 96
Kontemplation der Sonne 31
Kuan-yin 68
Kuan Yu, Kriegsgott 68
Kult(e) 9 15 46
–, dynastischer 10
–, öffentliche 15
–, private 15
Ku-lung 9
K'un Lun 12
Kung Teh 109
Kung Tzu vgl. Konfuzius

Lao Tzu (Laotse) 64 110 112 120
Liang-Dynastie 121
Lobrede des Taishan (Berg Tai) 31
Lung-men, Höhlen von 121
Lun Heng 69
Lu Pan, Patron der Tischler 51
Lu Tung-pin, Eremit, Schutzheiliger 64 68 100

Maspero, H. 114 116
Ming-Dynastie 58 72 108 116
Ministerien, himmlische 50
Mönche 124
Monotheismus 10
Moral, konfuzianische 114
–, taoistische 114
Mo Tzu 105
Mythos (Mythen) 11 15f 46

Naga 51
Needham, J. 108
Nicht-Handeln 121
Nirvana 121
Nu Kua, Erhabener 11

Oberster Herrscher 10

Pa Chin-lian, Schutzherrin der Prostituierten 55
Pantheon, chinesisches 50
Pavillon des Pinien-Offiziers fünften Grades 69
Philosophie 16
–, chinesische 104
Po 112
Prinzessin der bunten Wolken 24 68f 82 84 88 94

Reines Land des Westens 121
Religion(en) 9 13 16 46
–, offizielle 15f
–, taoistische 112
Religiosität, chinesische 9
Ricci, M. 109

Sakyamuni 121
Säule des Himmels 72
Schamanen 110
Schöpfung 11
Schutzgötter der Künste und der Berufe 54
Schwarzer Vater 54
Seelenwanderung 124
Shang-Könige 10
Shang Ti 10
Sheng 112
Shen Hsien-chao 60
Shen Nung, Erhabener 11 13
Shih Tsung 108
Shun, Herrscher 12
Sintflut 12
Sprache, chinesische 15
Ssu-ma Ch'ien, Historiker 12 69 108
Stein-Sutra 69
Stele des Westens 64
Stele ohne Inschrift 24 72
Südliches Himmelstor 46
Sun Chuan, General 68
Sung Chiang, Schutzherr der Diebe 55
Sung-Dynastie 37 42 58 64 81 116
Sun Pin, Offizier 55
Sutra des Diamanten 69 72 75

Tai, Berg-Gott 58 60 64
Tai-an, Stadt 20
Tai Ping (Großer Friede) 12 115
Taishan (Berg Tai) 46
Tai Tsung Fang 96
Tai-Tzu, Kaiser 58
T'ang, König 58
T'ang-Dynastie 68 72 75 116 121
Tao 46 109f 114f
Tao Hung-ching 116
Taoismus 16 46 109f 112 114ff 120f 124
Tao-Min, taoistisches Volk 114
Tao-Shih, taoistische Meister 114
Tao Teh Ching 64 109f 120
Tempel der Vollkommenen Verwirklichung 110
Tempel des Himmlischen Geschenkes 37
Tor zur Erreichung der Unsterblichkeit 46
Tseng-tzu, Konfuzius-Schüler 104
Tucci, G. 46
Tung-huang, Höhlen von 121
Tzo Chuan, Kommentar 16

Universum 12 14
Unsterblichkeit 116

Verteidigungsrede gegen Buddha 124
Volksreligion 46f 108 124
Voltaire 109

Wallfahrt 60 69
Wang Ching-chiao, Minister 47
Weber, M. 108
Weberin, Legende 15
Wei Hua-tsun, Nonne 116
Weißer Vater 54
Welt, Entstehung der 12
Weltauffassung, chinesische 120
Wen-Miao-Tempel des Schrifttums 108
Wu, Kaiser 121
Wu-wei (Nicht-Handeln) 121

Yama, König der Unterwelt 124
Yang 11f 14 46 58 109 120
Yan Luo, König der Unterwelt 124
Yao, Herrscher 12
Yen Yuan 69
Yi, Bogenschütze 11
Yin 11f 14 46 109
Yin-Dynastie 13 58
Yin Hsi, Jünger des Lao Tzu 120
Yu der Große, Herrscher 12f
Yuan-Dynastie 58 116
Yue Fei, General 55
Yung-kang, Höhlen von 121

Zen 121

Bibliographie

Auboyer, J. u. Nou, J.-L., *Buddha. Der Weg der Erleuchtung,* Freiburg i. Br., 1982

Bély, G., *Die Welt des Tao,* Freiburg i. Br., 1972

Böttger, W., *Kultur im alten China,* Jena-Berlin, 1977

Cooper, J.C., *Der Weg des Tao. Eine Einführung in die alte Lebenskunst und Weisheitslehre der Chinesen,* München, Neuausgabe 1981

Cotterell, A., *Der Erste Kaiser von China,* Frankfurt, 1981

–, *Das Reich der Mitte. Seine Archäologie – Seine Kunst – Seine Kultur. 5000 Jahre Geschichte und Tradition des Alten China,* München, 1981

Do-Dingh, P., *Konfuzius in Selbstzeugnissen und Bilddokumenten,* Reinbek, 1981

Eberhard, W., *Geschichte Chinas,* Stuttgart, [3]1980

Eichhorn, W., *Die Religionen Chinas* (Religionen der Menschheit 21), Stuttgart, 1973

Granet, M., *Das chinesische Denken,* München, 1980

I Ging. Das Buch der Wandlungen, übers. u. erl. v. R. Wilhelm, Köln, 75. Tsd. 1981

I Ging. Das alte chinesische Orakel- und Weisheitsbuch, hrsg. v. P. Offermann, Olten-Freiburg, [4]1981

Kaltenmark, M., *Lao Tse und der Taoismus,* Frankfurt, 1981

Kungfutse: Gespräche (Lun Yü), hrsg. u. übers. v. R. Wilhelm, Köln, 39. Tsd. 1980

Kurzrock, R., (Hrsg.), *China. Geschichte – Philosophie – Religion – Technik,* Berlin, 1980

Lao-Tse: Tao Te King. Das Buch vom rechten Wege und der rechten Gesinnung (Ullstein TB), Berlin, 1980

Laotzu: Tao-te-king: Das Buch vom Sinn und Leben, übers. u. erl. v. R. Wilhelm, Köln, 78. Tsd. 1981

Lehmann, J., *Buddha. Leben – Lehre – Wirkung. Der östliche Weg zur Selbsterlösung,* München, 1980

Münke, W., *Die klassische chinesische Mythologie,* Stuttgart, 1976

Opitz, P.J. (Hrsg.), *Chinesisches Altertum und konfuzianische Klassik,* München, 1968

Rawson, R. u. Legeza, L., *Tao. Die Philosophie von Sein und Werden,* München, 1982

Schleichert, H., *Klassische chinesische Philosophie,* Frankfurt, 1980

Schmidt-Glintzer, *Das Hung-ming chi und die Aufnahme des Buddhismus in China,* Wiesbaden, 1976

Speiser, W., *China. Geist und Gesellschaft* (Kunst der Welt 6), Baden-Baden, [3]1979

Watson, W., *China. Kunst und Kultur* (Ars Antiqua, Serie II), Freiburg i. Br., 1980

Das Wort des Buddha. Eine systematische Übersicht der Lehre des Buddha in seinen eigenen Worten, Konstanz, [4]1978

Bildnachweis:
Alle Abbildungen dieses Bandes stammen von Shih Chia-Fu

Die italienische Originalausgabe erschien unter dem Titel
L'Universo dello Spirito
Taishan
Il monte sacro della Cina

Chefredaktion: Riccardo Mezzanotte

Übersetzung: Christina Callori-Gehlsen

Satzarbeiten: Freiburger Graphische Betriebe
Druck und buchbinderische Verarbeitung:
Officine Grafiche di Verona della Arnoldo Mondadori Editore 1983

ISBN 3-451-19527-5 (Fortsetzung)
ISBN 3-451-19777-4 (Einzelband)

Von den frühesten Formen chinesischer Kunst in neolithischer Zeit durch die Bronzekunst der Shang-Zeit mit ihren verschiedenen Stilrichtungen bis hin zur realistischen und naturalistischen Kunst führt der Band in der Reihe ARS ANTIQUA – Große Epochen der Weltkunst:

William Watson

CHINA · Kunst und Kultur

Großformat 24,5 × 31 cm, 636 Seiten mit über 1000 Abbildungen, davon 184 vierfarbig, Leinen mit vierfarbigem Schutzumschlag und Schuber
ISBN 3-451-17105-8

Der Autor William Watson, Professor für chinesische Kunst und Archäologie und Direktor der Percival David Foundation of Chinese Art in London, ist eine anerkannte Autorität auf seinem Gebiet und veröffentlichte bereits zahlreiche Werke über archäologische Funde, chinesische Kunststile usw. Höhepunkte seines großen, sechs Hauptkapitel umfassenden Essays sind die Behandlung der religiösen Kunst Chinas sowie der Schrift und der Malerei. Eigene Kapitel sind der Architektur und den dekorativen Künsten gewidmet.
Begleitet wird der Essay von 184 überwiegend erstmals gedruckten Farbtafeln mit Abbildungen von Buddha- und Götterdarstellungen – teilweise auf Ausklapptafeln –, von neolithischen Gefäßen, Shang-Bronzen, Wandmalereien, Keramiken und Malerei in Tusche und Farbe, auf Papier- und Seidenrollen, Architekturbeispielen, Kunstwerken aus Jade, Lackarbeiten und farbenprächtigem Porzellan. Wie bei allen ARS ANTIQUA-Bänden schließt sich ein umfangreicher Dokumentationsteil mit über 500 Schwarzweißbildern an, die vergleichende Tafeln zu Grabreliefs, Grabkeramiken, Sarkophagen, Höhlenskulpturen, Stelen, Bronzespiegeln und Stoffen zeigen. Illustriert durch 288 Fotos, Zeichnungen, Pläne und Grundrisse, schließt sich eine Beschreibung von 61 repräsentativen Fundorten an.

Verlag Herder Freiburg · Basel · Wien